HELMUT SCHMIDT

Was ich noch sagen wollte

HELMUT SCHMIDT

Was ich noch sagen wollte

C.H.BECK

1. Auflage. 2015
2., durchgesehene Auflage. 2015
3. Auflage. 2016

Mit 21 Abbildungen
4. Auflage. 2016
© Verlag C.H.Beck oHG, München 2015
Satz: Fotosatz Amann, Memmingen
Druck und Bindung: GGP Media GmbH, Pößneck
Gedruckt auf säurefreiem, alterungsbeständigem Papier
(hergestellt aus chlorfrei gebleichtem Zellstoff)
Umschlaggestaltung: Kunst oder Reklame, München
Umschlagabbildung: Helmut Schmidt, Herausgeber der Wochenzeitung
DIE ZEIT, auf einem Umgang des Pressehauses, Hamburg
© J. H. Darchinger/darchinger.com
Printed in Germany
ISBN 978 3 406 67612 3

www.beck.de

Inhalt

Vorrede

Anfang 2014 erreichte mich eine Anfrage des Verlags C.H.Beck, ob ich mir vorstellen könnte, für einen geplanten Sammelband zum Thema «Vorbilder» als Herausgeber zu fungieren. Ich sollte ein Vorwort verfassen und wohl auch einen eigenen Aufsatz über eine für mich wichtige Persönlichkeit beisteuern. Der Brief des Verlags, dem eine vorläufige Liste mit denkbaren «Vorbildern» beilag, hat mich auf die Idee gebracht, selbst ein kleines Buch zu dem Thema zu schreiben.

Denn zum einen fehlten auf der Liste des Verlags Namen, die für mich von großer Bedeutung sind, zum anderen stieß ich auf Namen, die ich dort nicht vermutet hätte. Einige Namen waren mir gänzlich unbekannt; so hatte ich bis dahin zum Beispiel nie von Olympe de Gouges oder Igor Savitsky gehört. Beim Nachdenken darüber, wie diese Verlagsliste wohl zustande gekommen ist, wurde mir klar, dass es schwer, ja unmöglich ist, eine für alle Menschen verbindliche Auswahl festzulegen. Jeder hat seine eigenen, persönlichen Vorbilder. Eine Bestenliste mit den zehn wichtigsten Vorbildern ist noch weniger denkbar als eine Liste mit den zehn großartigsten Bauwerken oder den zehn schönsten Gemälden. Jede Auswahl ist subjektiv. Es kann keinen allgemein gültigen Kanon der Vorbilder geben.

Je länger ich mich mit der Idee eines eigenen Buches zum Thema «Vorbilder» beschäftigte, desto mehr Zweifel überkamen mich, was wir überhaupt unter einem «Vorbild» verstehen. Wer gilt in unseren Augen eigentlich als Vorbild? In entsprechenden Umfragen der letzten Jahre stößt man immer wieder auf dieselben Namen: Mahatma Gandhi und Nelson Mandela, Albert Schweitzer und Mutter Teresa, Martin Luther King oder den Dalai Lama. Dass sie in den entsprechenden Rankings weit oben stehen, hat weniger mit ihrer Leistung zu tun oder mit dem, was wir als ihre Leistung ansehen. Von Mahatma Gandhi verstehen wir Deutschen noch weniger, als wir von Mandela verstehen. Ich habe Mandela 1996 einmal in Berlin, den Dalai Lama einmal in Prag getroffen, aber ich würde mir kein Urteil über sie erlauben.

Wer die genannten Personen als aktuelle politische und moralische Vorbilder nennt, ist sich möglicherweise nicht der enormen Veränderungen bewusst, denen die Welt in den letzten Jahrzehnten des 20. und zu Beginn des 21. Jahrhunderts unterworfen war – und nach wie vor unterworfen ist. Ich will mich an dieser Stelle darauf beschränken, drei grundlegende Veränderungen kurz zu skizzieren.

Die wichtigste Veränderung ist die Vervierfachung der Weltbevölkerung innerhalb des letzten Jahrhunderts – von gut anderthalb auf sechs Milliarden; inzwischen haben wir sieben Milliarden überschritten. Dieser Bevölkerungszuwachs hat fast ausschließlich in den so genannten Entwicklungsländern stattgefunden – in Asien, in Afrika und in Südamerika. Die Bevölkerung Europas hingegen blieb statistisch einigermaßen konstant, sie wird aber immer älter; das führt zu gewaltigen Problemen – nicht nur bei der Finanzierung des Sozialstaats. Die Einwohnerzahl Chinas hat sich im Laufe der letzten fünfzig Jahre verdoppelt, von etwa 700 Millionen auf heute 1350 Millionen. Ähnlich ist die Entwicklung in Indien, stärker noch in Bangladesch, in Pakistan oder Indonesien. In den meisten muslimischen Gesellschaften bringen die Frauen nach wie vor vier Kinder und mehr zur Welt.

Die zweite grundlegende Veränderung der Welt kam durch die Globalisierung. Seit den achtziger Jahren des vorigen Jahrhunderts gibt es zum ersten Mal so etwas wie Weltwirtschaft. In dieser Weltwirtschaft spielen die Chinesen und seit Beginn der neunziger Jahre die Russen ebenso eine Rolle wie Indien oder Brasilien oder zahlreiche muslimische Staaten – etwa Saudi-Arabien oder Indonesien. Die USA werden in der Mitte dieses Jahrhunderts ein zweisprachiges Land sein, dessen eine Hälfte Spanisch spricht – in Kalifornien ist das heute schon so. Die Masse der künftigen Wähler in den USA werden Hispanoamerikaner und Afroamerikaner sein, die wenig Interesse daran haben, Konflikte mit Chinesen oder Japanern auszutragen. Ihr Interesse wird sich darauf konzentrieren, dass ihre Kinder gute Schulen und erstklassige

9

Universitäten besuchen können und dass es eine zuverlässige Sozialversicherung gibt, insbesondere eine Altersversicherung.

Die dritte wesentliche Veränderung der Welt lässt sich mit dem Stichwort Internet umschreiben. Die vollständige Vernetzung aller mit allen führt zu Konsequenzen, die wir einstweilen noch nicht erahnen. Was das für die Zivilisation bedeutet, weiß ich nicht, wohl aber sehe ich deutlich, dass wir durch die neuen Kommunikationsmittel in eine Krise der Demokratie hineinlaufen können. Das hängt auch mit der zunehmenden Verstädterung zusammen. Zu Beginn des 20. Jahrhunderts lebte die Mehrheit der Menschen in Dörfern, jeder hatte seine Hütte oder sein Häuschen. Heute lebt die Mehrheit in Städten und in Ballungsräumen von zehn oder zwanzig Millionen Menschen. Hier wächst, potenziert durch die sozialen Netzwerke, die Gefahr der Verführbarkeit. Je mehr Menschen auf einem Fleck zusammenwohnen, desto leichter sind sie massenpsychologisch zu beeinflussen – auch und gerade durch falsche Vorbilder.

Berufung auf Vorbilder bleibt wichtig. Deshalb kommt es darauf an, insbesondere jungen Menschen beispielgebende Vorbilder zu vermitteln. Allerdings bezweifle ich, dass Vorbilder wirklich dazu beitragen können, die hier skizzierten weltweiten Probleme zu lösen. Vielleicht wäre das auch zu viel verlangt. Es genügt ja, wenn Vorbilder uns durch ihr Beispiel Hoffnung geben und eine Richtung weisen. Wenn sie uns ermutigen, auf unserem Weg voranzugehen.

Als ich 1945 aus der Kriegsgefangenschaft nach

Hause kam, war ich weitgehend orientierungslos. Damals habe ich das erste Mal von Mahatma Gandhi gehört und war fasziniert von seinem Ideal des passiven Widerstands. Das Spinnrad, mit dem die Inder ihre Baumwolle selber spannen, um sich von britischen Importen unabhängig zu machen, wurde zum Freiheitssymbol für viele Inder. Auch wenn ich den ethischen Grundsätzen Gandhis damals zustimmen konnte, wäre ich nicht auf die Idee gekommen, sein Prinzip der Gewaltlosigkeit auf die Verhältnisse in Europa nach dem Ende des Zweiten Weltkriegs zu übertragen. Gandhi imponierte mir, aber es wäre mir nicht eingefallen, ihn ein Vorbild zu nennen.

Nicht nur Gandhi, auch die meisten anderen der bei uns in aktuellen Umfragen am häufigsten genannten «Vorbilder» verkörpern das Ideal der Gewaltlosigkeit. Das hängt vermutlich damit zusammen, dass die Nachkriegsdeutschen Krieg und Gewalt abgeschworen haben. Sie nehmen sich gern Persönlichkeiten zum Vorbild, die durch Selbstlosigkeit hervorstechen und für ihre Ideen lieber ins Gefängnis gehen wollen, als zu den Waffen zu rufen. Ob dieser tiefgreifende pazifistische Zug, der viele Deutsche nach 1945 ergriffen hat, auch in Zukunft erhalten bleibt, ist ungewiss. Man darf gespannt sein, welche Vorbilder in der nächsten oder übernächsten Generation genannt werden.

Die Verschiedenartigkeit von Vorbildern und die Tatsache, dass im Grunde jeder Mensch jeden anderen zu seinem Vorbild erklären kann, verstärkten meine Zweifel an dem Buchvorhaben. Ist «Vorbild» überhaupt der umfassende und richtige Begriff für das, worum es mir geht? Jedenfalls gibt es über die Bedeutung des Wortes und seine Verwendung stark voneinander abweichende, unterschiedliche Auffassungen. Die einen sprechen von Idolen oder Idealen, andere nennen ihre Vorbilder Wegweiser oder gar Lebenslotsen. Das alles klingt mir sehr pathetisch.

Bezeichnenderweise gibt es im Englischen und Französischen kein wirkliches Äquivalent für das deutsche Wort «Vorbild». Vergleichbare Begriffe erscheinen deutlich weniger moralisch aufgeladen. Dem Sprachgebrauch des deutschen Wortes «Vorbild» am nächsten kommt das lateinische *Exemplum*. Der römische Geschichtsschreiber Livius beschrieb beispielhafte Taten guter Römer aus alten aristokratischen Familien, so genannte *Exempla*, denen seine Zeitgenossen nacheifern sollten. Ein solches Exempel im Sinne eines beispielgebenden Musters ist mir deutlich sympathischer als unser deutsches «Vorbild», auch weil es weniger wichtigtuerisch daherkommt.

Mein kürzlich verstorbener Freund Siegfried Lenz hat den schönen Satz geschrieben: «Vorbilder sind doch nur eine Art pädagogischer Lebertran.» Vorbilder würden einen jungen Menschen schnell erdrücken, ihn unsicher und reizbar machen. Da ist einiges dran. Mir jedenfalls hat kein Mensch ein Vorbild vor die Nase gehalten. Mein Vater hat mir das Schachspiel beigebracht, da war ich acht oder neun Jahre alt. Aber mein erstes ernsthaftes Gespräch mit meinem Vater habe ich 1942 geführt – da war ich inzwischen 23. Trotzdem gaben mir die Eltern durch Beispiel vor, was für mich gut und schlecht war. Zunächst durch praktische Hilfestellung. Wie jedes Kind habe ich meine ersten Prägungen durch das Elternhaus erfahren. In der Schulzeit traten neben die Eltern dann Lehrer als diejenigen, die Orientierung boten. Aber auch die schulische Erziehung beruhte vor allem auf Autorität. Sie wirkte durch Lob und Tadel und, nicht zu vergessen, durch Strafe. Die Erziehung hatte zum Ziel, den jungen Menschen an die Gesellschaft heranzuführen und ihn zu integrieren.

Je länger ich darüber nachdachte, welche Menschen mich auf meinem Lebensweg wie beeinflusst haben, desto mehr verschwamm der ursprüngliche Begriff des Vorbilds. Mit dem Wort ist die Vorstellung verbunden, die genannte Person sei als Gesamtpersönlichkeit ein Vorbild, das heißt mit jeder Faser und in jeder Hinsicht. Vorbildlich kann ein Mensch aber nur in einzelnen Bereichen sein, durch Eigenschaften und Tugenden, die ihn vor anderen auszeichnen. Nur diese Besonderheiten zählen; über menschliche Schwächen müssen wir dabei geflissentlich hinwegsehen. Manche, die von der Geschichte «groß» genannt werden, erweisen sich bei näherer Betrachtung als ziemlich unangenehme Charaktere.

Menschen wurden wichtig für mich, weil sie mir in einer bestimmten Situation halfen, mich selbst besser zu verstehen. Sie haben mich geprägt, indem sie mir Antworten und Anregungen gaben oder meine Neugier weckten. Dadurch trugen sie zur Bildung meiner Persönlichkeit bei. Erich Fromm nannte solche Personen, die im richtigen Moment in unserem Leben auftauchen, «magische Helfer». Alles hängt davon ab, ihnen in dem Augenblick zu begegnen, in dem wir sie nötig haben.

Vor zwanzig Jahren habe ich unter dem Titel «Weggefährten» ein viele Seiten umfassendes Buch veröffentlicht, in dem ich meinen Dank zum Ausdruck brachte. Dank gegenüber engen persönlichen Freunden ebenso wie Dank gegenüber denen, die mich auf meinem beruflichen und politischen Lebensweg begleitet haben. Über einige von ihnen schreibe ich auch auf den Seiten des vorliegenden Buches. Aber der Charakter dieses Buches ist ein anderer. Ich will die entscheidenden Begegnungen meines Lebens einmal zusammenfassen und zugleich kontrastieren mit Gestalten der Geschichte, die mich bestimmt, Kunstwerken, die mich fasziniert, Büchern, die mein Weltbild geprägt haben. Ich will mir, mit einem Wort, Klarheit darüber verschaffen, wie ich wurde, der ich bin.

Die Ausgangsfrage ist also eine andere als in dem damaligen Buch; viele der alten Weggefährten kommen auf den folgenden Seiten deshalb gar nicht oder nur am Rande vor. Ich habe sie nicht vergessen – wie könnte ich! Die meisten von ihnen sind zwar lange tot, aber sie haben genauso ein Anrecht darauf, hier genannt zu werden, wie die noch Lebenden. Zwischen meinem ältesten und engsten Freund Willi Berkhan und dem im Oktober 2014 verstorbenen Siegfried Lenz stehen die Namen meiner Freunde Hans-Jürgen Wischnewski, Hans-Jochen Vogel und Peter Schulz. Klaus Bölling und Manfred Schüler möchte ich an dieser Stelle erwähnen, desgleichen Horst Schulmann und Klaus-Dieter Leister. Dankbar erinnere ich mich an meinen Kriegskameraden Walter Plennis aus Cuxhaven sowie an den Film- und Fernsehproduzenten Gyula Trebitsch, in dessen Hamburger Studio wir 1953 meinen ersten Wahlkampf-Spot drehten. Die vielen Jahre des freundschaftlichen Austauschs mit den Kollegen bei der ZEIT sind für mich immer noch mit den Namen von Marion Dönhoff und Gerd Bucerius verbunden.

Ich habe immer die Auffassung vertreten, dass Politiker auch über die Grenzen ihres Landes hinaus Freundschaften schließen können. Jedenfalls hatte ich das Glück, unter den Regierenden anderer Staaten eine Reihe von Freunden zu finden. Allerdings waren Sympathie und Zuneigung nicht immer auf Anhieb zu erkennen. Ich will ein kleines Beispiel geben.

Anfang der siebziger Jahre hatte ich mit dem französischen Verteidigungsminister Michel Debré zu tun; wir kamen gut miteinander aus. Einige Jahre nach meinem Ausscheiden aus allen Ämtern war ich mit dem Auto unterwegs in Frankreich. Plötzlich las ich auf einem Straßenschild Amboise. Der Name rief eine dunkle Erinnerung in mir wach, und ich beschloss, einen Abstecher zu machen. In einem Bistro erfuhr ich, dass Michel Debré Bürgermeister des Ortes war; ich ließ ihn grüßen. Noch bevor ich meinen Kaffee ausgetrunken hatte, war Debré am Telefon und bedrängte mich, ihn zu besuchen. Im Garten seines Hauses sprachen wir dann angeregt über alte Zeiten, aber ebenso offen über Mitterrand, Reagan und Deng Xiaoping. An diesem Nachmittag hatte ich das Gefühl, mit einem langjährigen Freund zu reden, obwohl weit mehr als zehn Jahre seit unserer letzten Begegnung vergangen waren. Freunde in diesem Sinn sind auch Henry Kissinger oder der Staatspräsident von Nigeria, Olusegun Obasanjo: Kommt man zusammen, so ist es, als wäre man erst gestern auseinandergegangen.

Unter den politischen Weggefährten, die mir wichtig waren, sind an erster Stelle Parteifreunde zu nennen: Willy Brandt, Herbert Wehner, mein «großer Bruder» Alex Möller, aber auch mein damaliger politischer Vorgesetzter Karl Schiller. Ich erinnere mich besonders gern an die Minister Hans Apel und Hans Matthöfer sowie an Jürgen Schmude. In den Reihen der Union habe ich Rainer Barzel, Gerhard Stoltenberg und Theo Waigel vertraut, Richard von Weizsäcker für seine Gradlinigkeit respektiert und das vorzeitige Ende der Karriere von Volker Rühe bedauert. Nach der Wiedervereinigung entwickelte sich im Rahmen der Deutschen Nationalstiftung ein enges Verhältnis zu Kurt Biedenkopf. Bei der FDP galt der aufrechten Hildegard Hamm-Brücher meine Verehrung; auf Wolfgang Mischnick, den langjährigen Fraktionsvorsitzenden des Koalitionspartners, war ebenso Verlass wie auf Wirtschaftsminister Hans Friderichs, der 1977 zur Dresdner Bank wechselte.

«Wer zählt die Völker, nennt die Namen?» heißt es bei Friedrich Schiller, und je länger ich nachdenke, desto mehr Namen fallen mir ein, die auf diesen Seiten eigentlich genannt werden müssten. Karl Klasen zum Beispiel, mit dem ich seit den frühen fünfziger Jahren befreundet war. Als er 1969 vom Posten eines

Vorstandssprechers der Deutschen Bank an die Spitze der Bundesbank rücken sollte, bat er mich um Rat. Ich sagte ihm, dass er diesen Ruf nicht ablehnen könne – man stelle sich einen solchen, mit erheblichen finanziellen Einbußen versehenen Wechsel heute vor! Ich will an Herbert Weichmann erinnern, der nach dem Krieg aus dem amerikanischen Exil nach Hamburg kam und 1965 Erster Bürgermeister wurde. Wenn ich diese beiden Hamburger Freunde erinnere, erinnere ich zugleich ihre Ehefrauen: Ilse Klasen und Elsbeth Weichmann.

Ich muss auch Eric Warburg nennen, der das Bankhaus der Familie nach dem Krieg wieder in Hamburg angesiedelt hat und mir in den sechziger Jahren zu einem wichtigen persönlichen Ratgeber wurde; W. Michael Blumenthal, Ende der siebziger Jahre amerikanischer Finanzminister und viele Jahre später Gründungsdirektor des Jüdischen Museums in Berlin; und den deutsch-amerikanischen Historiker Fritz Stern, mit dem ich mich 2010 zu einem gemeinsamen Gesprächsband verabredete, in dem wir unsere transatlantischen Erfahrungen und Analysen austauschten. Ich möchte Wolfgang Vogel erwähnen, den zuverlässigen Go-between im geteilten Deutschland, jedenfalls aber auch Kurt Masur, der bei der friedlichen Revolution von 1989 eine so wichtige Rolle spielte. Sollte ich jemanden in dieser Aufzählung vergessen haben, kann ich es nur mit den Gedächtnislücken meines hohen Alters entschuldigen.

Die Erinnerung an persönliche Freunde und enge politische Weggefährten spielt in dem vorliegenden

Buch eine wichtige Rolle. Es erzählt von Menschen, die mir wichtig waren, die in einer bestimmten Situation mein Denken und Handeln prägten. Gleichwohl handelt es sich nicht um ein autobiographisches Buch. Ausgangspunkt meiner Überlegungen war die Frage nach den Vorbildern: Brauchen wir Vorbilder, und wenn ja, welche Personen eignen sich als Vorbild, zu welchen Personen fühlen wir uns hingezogen? Am Beispiel meiner eigenen Entwicklung lassen sich vielfache Wechselwirkungen deutlich machen. Weil ich früh die Tugenden der Pflichterfüllung und der Gelassenheit als erstrebenswert und mir angemessen empfand, suchte ich nach entsprechenden Vorbildern. Und weil ich diese Vorbilder im jeweils richtigen Moment fand, wurden Pflicht und Gelassenheit zu Eckpfeilern meines Lebens.

Selbst in aufregenden Situationen die innere Gelassenheit zu bewahren, ist mir als einem, der politische Verantwortung zu tragen hatte, nicht allzu schwer gefallen; denn ich war unbeschädigt aus Nazistaat und Krieg nach Hause gekommen. Wohl aber hat der Wille zur Pflichterfüllung mich häufig genug zur äußersten Anstrengung der Vernunft und letzten Endes des eigenen Gewissens gezwungen.

«Was ich noch sagen wollte» ist ein sehr persönliches Buch. Ich habe mich immer gescheut, in meinen Büchern dem Privaten allzu viel Raum zu geben, denn das Schreiben von Memoiren verführt zur Eitelkeit. Wer die eigene Person in den Mittelpunkt stellt, neigt dazu, sich so zu präsentieren, wie er gesehen werden möchte. Die Scheu vor dem Autobiographischen habe ich auch jetzt nicht ganz ablegen können. Aber wer in hohem Alter die wichtigen Begegnungen seines Lebens noch einmal Revue passieren lassen will, muss zwangsläufig von sich selber reden. Ich hoffe, die rechte Mitte gefunden zu haben.

Hamburg, im Dezember 2014

Die Kunst der inneren Gelassenheit: Mark Aurel

Auf meinem Schreibtisch steht eine Reiterfigur. Sie soll mich an den Vorsatz erinnern, den ich vor acht Jahrzehnten gefasst habe: an den Willen, meine Pflichten zu erfüllen. Zugleich mahnt mich diese Reiterfigur zur inneren Gelassenheit. Eine ähnliche Nachbildung hatte schon in meinem Bonner Büro auf dem Schreibtisch gestanden. Bei dem überlebensgroßen Original, das ursprünglich vollständig vergoldet war, handelt es sich um das eindrucksvolle Reiterstandbild des römischen Kaisers Marcus Aurelius; es stammt wohl aus dem Jahre 166 nach Christus und wurde vor knapp fünfhundert Jahren von Michelangelo auf dem Platz vor dem Kapitol aufgestellt.

Meine Verehrung für Mark Aurel geht auf das Jahr meiner Konfirmation zurück. Das kirchliche Ritual selbst habe ich nicht sehr ernst genommen, das meiste fand ich etwas seltsam. Was mir am Konfirmationsunterricht Spaß gemacht hat, war die Tatsache, dass ich das Harmonium spielen durfte. Am Tag der Konfirmation gab es eine kleine Familienfeier, und da bekam ich von meinem Onkel Heinz Koch ein Buch geschenkt, die «Selbstbetrachtungen» des Marcus Aurelius.

Ich habe noch am selben Abend angefangen, darin zu lesen, und was ich las, hat mir gewaltig imponiert. Die Reflexionen eines römischen Kaisers, der damals bereits seit 1750 Jahren tot war, waren ein prägender Leseeindruck. Ich hatte auch vorher schon viel und gern gelesen: Teile der europäischen Romanliteratur des 19. Jahrhunderts oder Geschichten von Mark Twain – was man mit vierzehn und fünfzehn Jahren damals eben gelesen hat – und etwas später die «Buddenbrooks». Bei der Lektüre der «Selbstbetrachtungen» des Mark Aurel hatte ich jedoch zum ersten Mal das Gefühl, dass dieses Buch ein für mein weiteres Leben richtungweisendes Buch werden würde. Meine unmittelbare Empfindung war: So will ich auch werden. Einige Jahre später habe ich das Buch mit in den Krieg genommen.

Bei dem Geschenk von Onkel Heinz handelte es sich um die alte Kröner-Ausgabe. Sie hat mich bis auf den heutigen Tag begleitet. Auch wenn ich den Text inzwischen in vielen Ausgaben besitze, muss ich gestehen, dass ich ihn immer nur abschnittsweise, mit vielen zeitlichen Unterbrechungen und nie systematisch gelesen habe. Obwohl das Buch nur gut zweihundert Seiten umfasst, fand ich es ziemlich dick; es war mir auch zu abstrakt, zu wenig unterhaltsam, und als besonders störend empfand ich die vielen Wiederholungen. Erschwerend kam hinzu, dass ich zuvor nie einen philosophischen Text gelesen und keine entsprechende Anleitung hatte. Gleichwohl hat mich Mark

Mark Aurel, 121–180 n. Chr.,
römischer Kaiser 161–180

Aurel vom ersten Tag an fasziniert. Heute bin ich der
Überzeugung, dass ich das, was mir aufgrund man-
gelnder philosophischer Schulung möglicherweise
entging, durch lebenslange Beschäftigung und stete
Vertiefung hinlänglich ausgleichen konnte.

Vor allem die beiden Tugenden, die Mark Aurel in
den Mittelpunkt seiner Betrachtungen rückt, sprachen mich auf der Stelle an: die innere Gelassenheit
und die bedingungslose Pflichterfüllung. Wobei ich
damals allerdings noch nicht so weit war, zwischen
dem Prinzip der Pflichterfüllung und der Pflicht selbst
zu unterscheiden. Die Forderung, seine Pflicht zu erfüllen, lässt offen, in welchem konkreten Handeln die
Pflicht besteht, und ist deshalb, für sich genommen,

23

keine wirkliche Hilfe. Wenn ich die «Selbstbetrachtungen» heute zur Hand nehme, entdecke ich weitere Forderungen, denen ich mich sofort anschließen kann – die Forderung nach Humanität und Menschlichkeit etwa oder die Forderung nach Gerechtigkeit. Was den Text wohltuend von vergleichbaren Schriften unterscheidet, ist die Tatsache, dass der Kaiser seine Forderungen nur an sich selbst richtet.

Wenn ich Mark Aurel alles in allem mein erstes Vorbild nenne, so tue ich das unter den in der Vorrede gemachten Einschränkungen. Denn natürlich hatte auch Mark Aurel seine Schwächen und seine Schattenseiten. Wenn wir die «Selbstbetrachtungen» lesen und ihren Stoizismus bewundern, dürfen wir daraus nicht schließen, dass der Autor auch im wirklichen Leben ein Stoiker war. Im Gegenteil, der historische Kaiser hat ganz und gar nicht so gelassen und vorbildlich gehandelt, wie er es in seiner Schrift fordert. Er war im Jahre 161 Kaiser geworden – wie seine Amtsvorgänger durch Adoption. In den knapp zwanzig Jahren seiner Herrschaft hat er manches wieder eingeführt, was seine Vorgänger abgeschafft hatten, etwa die Sklavenfolter. Er nahm die Christenverfolgung wieder auf und begann nach fünfzig Friedensjahren, zur Festigung des Reiches erneut massiv Kriege zu führen. Seine wichtigste Aufgabe sah er in der Abwehr der Barbaren im Nordosten und in Kleinasien. Er starb 180 mit 58 Jahren an der Pest.

Mark Aurel ist ein gutes Beispiel dafür, dass das Bild eines Menschen im Laufe der Geschichte sich vollkommen ablösen kann von der historischen Figur.

Der römische Kaiser steht uns heute in erster Linie durch sein wunderbares Buch vor Augen, ein Buch, das die Menschen der Antike gar nicht kannten, denn er hatte es tatsächlich nur für sich geschrieben. Es war in der Antike unbekannt und tauchte erst im 10. Jahrhundert in einer Handschrift wieder auf. Weil er für sich selbst schrieb und beim Schreiben oft unterbrochen wurde, sind dem Autor die den Leser störenden Wiederholungen vielleicht gar nicht aufgefallen. Vielleicht waren sie ihm aber auch als Stilmittel wichtig. Die «Selbstbetrachtungen» sind in Griechisch geschrieben; denn Griechisch war zur Zeit Mark Aurels immer noch die Sprache der Philosophie, der Rhetorik und der Literatur.

Marcus Aurelius verstand das Schreiben als eine ständige Selbstermahnung. Obwohl er fast während seiner gesamten Regierungszeit aktiv in Kriegsgeschehen verwickelt war, suchte er jenen Prinzipien treu zu bleiben, die er für sich festgelegt und dann gegen Ende seines Lebens nach und nach niedergeschrieben hat. Heute lesen wir die «Selbstbetrachtungen» als eine Art Idealkatalog für gerechtes und kluges Regieren und nehmen den Kaiser für das, was in seinem Buche steht.

Es begegnet uns in der Geschichte immer wieder, dass ein Vorbild allzu stark überhöht und idealisiert wird. Manchmal kann eine historische Figur überhaupt nur als Vorbild in Erscheinung treten, wenn man bestimmte Charakterzüge bewusst ausblendet und Unangenehmes einfach wegschneidet. Friedrich II. von Preußen etwa, der für viele noch heute ein verehrungswürdiger Mann ist. Er hat für die Vergrößerung seines Besitzes einen Krieg nach dem anderen geführt – und zwar gegen das ebenfalls deutsche Haus der Habsburger. Einen Alexander den Großen im Taschenformat habe ich ihn einmal genannt. Das Ideal hat sich in diesem Fall sehr weit von der historischen Wirklichkeit gelöst. Aber das sollen die Friedrich-Verehrer mit sich selber ausmachen.

Ich jedenfalls habe mich nicht für die Gesamtperson interessiert, sondern mir nur das herausgepickt, was mir exemplarisch, vorbildlich und nachahmenswert schien. Man kann es auch anders ausdrücken: Jemand muss kein Heiliger sein, um Vorbild für dieses oder jenes werden zu können. Die Frage ist: Wie gehen wir damit um, wenn wir von einem Menschen, den wir als Vorbild empfinden, in anderen Zusammenhängen Negatives erfahren? Dass der Soldatenkaiser Marcus Aurelius die imperialen Interessen des Römischen Reiches mit großer Härte durchsetzte, habe ich irgendwann zu einem späteren Zeitpunkt meines Lebens verstanden. Der Eindruck, den seine «Selbstbetrachtungen» auf mich als Fünfzehnjährigen gemacht hatten, wurde dadurch nicht im Geringsten getrübt.

Marcus Aurelius war für mich ein Vorbild. Seine Ermahnungen sind mir selbstverständlich geworden. Seine beiden für mich wichtigsten Gebote, innere Gelassenheit und Pflichterfüllung, standen mir immer vor Augen. Das Gegenteil von Gelassenheit ist Aufgeregtheit, Nervosität – ein Zustand, in dem man im äußersten Fall nicht mehr Herr seiner selbst ist. Gelassenheit bewahrt einen davor, zu schnell zu entscheiden und dabei Fehler zu begehen. Sie ist eine Hilfe, fast eine Voraussetzung für die Anwendung der Vernunft: Nur wer die innere Gelassenheit mitbringt, kann auf die Stimme der Vernunft hören.

Richtig ist, dass ich oft ungeduldig war. Insbesondere im Umgang mit meinen Mitarbeitern ging mir manches nicht schnell genug, manches war mir nicht sorgfältig genug vorbereitet. Hier liegt jedoch nur auf den ersten Blick ein Widerspruch vor, denn tatsächlich blieb ich innerlich immer gelassen – auch in den Tagen von Mogadischu. Um im Herbst 1977 die entführte Lufthansa-Maschine aus der Hand der Terroristen zu befreien, hatte ich meinen Freund Hans-Jürgen Wischnewski mit einem heiklen Kommando betraut. «Du hast jede Vollmacht», sagte ich zu ihm, «und wenn es dir notwendig scheint, reicht diese Vollmacht über das Grundgesetz hinaus.» Das heißt, ich habe mich ihm völlig ausgeliefert, und er hat mein Vertrauen in großartiger Weise gerechtfertigt.

Das Ganze stand 50:50. Entweder fliegen wir 90 Passagiere nach Hause, oder sie werden alle in die Luft gesprengt. Wischnewski konnte wunderbar mit den Arabern umgehen, deshalb auch sein Ehrenname Ben Wisch. Er hat dem Diktator in Somalia den Hof gemacht und ihn durch Schmeicheleien davon abgehalten, seine eigenen Soldaten zur Befreiung des Flugzeugs einzusetzen, was zweifellos schiefgegangen wäre. Als Wischnewski am 18. Oktober 1977 kurz nach Mitternacht in Bonn anrief, um mitzuteilen, dass der Auftrag «erledigt» sei, wusste niemand besser als ich, was wir ihm zu verdanken hatten. Ben Wisch war die Zuverlässigkeit in Person.

Zwei Tage vorher hatte ich mich im Kanzleramt mit den Schriftstellern Heinrich Böll, Siegfried Lenz und Max Frisch zu einem ausgiebigen Meinungsaustausch getroffen. Der Termin war seit Monaten verabredet, und es gab in meinen Augen keinen Grund, ihn wegen der Entführung des Arbeitgeberpräsidenten Hanns Martin Schleyer durch die RAF platzen zu lassen. Am Tag des Treffens mit den Schriftstellern versuchte die Bundesregierung vergeblich, die entführte Lufthansa-Maschine in Dubai festzuhalten, deshalb musste ich das Gespräch mehrfach unterbrechen. Der Verleger Siegfried Unseld, den ich ebenfalls eingeladen hatte, hielt hinterher fest, wie ruhig ich auf ihn gewirkt hätte – ganz anders als Böll, der sich über unverhältnismäßige Polizeieinsätze erregt habe. Es ging natürlich auch um politische und gesellschaftliche Verantwortung. 37 Jahre später fasste Siegfried Lenz die damalige Diskussion so zusammen: «Der Schriftsteller kann es auf dem Papier entscheiden, so oder so. Der Politiker muss es tragen.»

Ähnlich gelassen blieb ich auch Anfang der achtziger Jahre bei den Demonstrationen gegen den so genannten Nato-Doppelbeschluss. Dem war eine jahrelange strategische Kontroverse innerhalb des westlichen Bündnisses vorausgegangen, die 1979 in einen Kompromiss mündete: Wenn nach vier Jahren Verhandlungen mit den Russen nichts erreicht ist, wird der Westen nachrüsten. Die Verwirklichung der zweiten Hälfte dieses Beschlusses führte 1983 unter meinem Nachfolger zur Nachrüstung und wiederum vier Jahre später zum Vertrag über die Verschrottung nuklearer Mittelstreckenwaffen. Der so genannte INF-Vertrag (Intermediate Range Nuclear Forces) war der erste völkerrechtlich gültige beiderseitige Abrüstungsvertrag seit dem Zweiten Weltkrieg. Inzwischen hatten in den USA, in Frankreich, in der Bundesrepublik und in der Sowjetunion die Regierungen gewechselt. Gleichwohl haben die entscheidenden Personen an den Spitzen der Regierungen an der strategischen Vernunft des Doppelbeschlusses festgehalten – ein Triumph des internationalen Kompromisses.

Ich hatte erkannt, dass die Sowjetunion auf eine Weise rüstete, die es dem Nachfolger von Breschnew oder späteren Nachfolgern erlauben würde, die Bundesrepublik von ihren Bündnispartnern zu isolieren. Eine Rakete mit drei nuklearen Sprengköpfen hätte Köln, Düsseldorf und Dortmund mit einem Schlag ausgelöscht. Eine solche militärische Erpressung zu verhindern, war der eigentliche Sinn des Nato-Doppelbeschlusses. Die so genannte Friedensbewegung, die eine Nachrüstung des Westens als Voraussetzung für Abrüstungsgespräche ablehnte, diffamierte mich damals als Kriegstreiber. Auch für meine eigene Partei wurde der emotionale, an Hysterie grenzende Widerstand gegen den Doppelbeschluss zu einer schweren Belastungsprobe. Es war Helmut Kohl, der meine Sache weiterführte. Meiner späteren Genugtuung über den Erfolg des INF-Vertrages hat dies keinen Abbruch getan, im Gegenteil.

Für mich war entscheidend, dass ich mir Anfang

der achtziger Jahre die innere Gelassenheit bewahrt habe und meiner Pflicht nicht ausgewichen bin. Oder anders ausgedrückt: Die innere Gelassenheit hat mir die nötige Kraft gegeben, meiner Pflicht nachzukommen. Ich vermute, dass in dem Augenblick, in dem ich mich an Mark Aurel erinnerte, die Gelassenheit jedes Mal zurückgekehrt ist.

Frühe Prägungen

Wenn ich mich an meine Zeit auf der Lichtwarkschule erinnere, denke ich zunächst an einige Lehrer, die mir wichtig waren. Johnny Börnsen zum Beispiel, der Zeichenlehrer, ein wunderbarer Kerl, war von Hause aus gelernter Steinmetz. Aber er konnte auch malen, radieren, Holz und Linol bearbeiten, drucken, weben – er konnte einfach alles, und das begeisterte uns. Börnsen war es, der uns junge Leute – wir waren damals vierzehn und fünfzehn Jahre alt – erstmals mit dem deutschen Expressionismus bekannt machte. Die Begeisterung für den Expressionismus ist mir geblieben bis auf den heutigen Tag: die Begeisterung insbesondere für Ernst Barlach und Emil Nolde, nicht weniger für Käthe Kollwitz, Karl Schmidt-Rottluff und Ernst Ludwig Kirchner.

John Börnsen hat mir die Augen geöffnet. Dass ich mich angesprochen fühlte und seine Begeisterung teilte, lag zweifellos an seiner Person. Börnsen war nicht nur handwerklich geschickt, er hatte auch eine große Ausstrahlung. Er setzte sich auf den Teil der Werkbank, der eigentlich als Tisch gedacht war, und

31

sang mit uns die Songs aus der Dreigroschenoper. Er war ein pädagogisches Naturtalent.

Ein anderer Lehrer, an den ich mich gern erinnere, war Hans Roemer, der Geschichtslehrer. Er war als Pädagoge vielleicht nicht ganz so begabt, aber dennoch habe ich bei ihm eine Menge gelernt. Der Geschichtsunterricht unter Hans Roemer verlief folgendermaßen: Er betrat die Klasse, und kaum dass er saß, meldete sich entweder mein Klassenkamerad Jürgen Remé oder ich, einer von uns beiden, und fragte: «Sagen Sie mal, Herr Roemer, wie ist das wirklich gewesen mit der Emser Depesche?» Die stand zwar nicht auf dem Lehrplan, aber Jürgen Remé und ich interessierten uns für solche Fragen der neueren Geschichte, wir hatten darüber etwas gelesen und wollten jetzt von Herrn Roemer Genaueres wissen. Also haben wir die ganze Stunde mit ihm debattiert, und der Rest der Klasse hörte zu. In den letzten fünf Minuten gab Herr Roemer bekannt, was bis zur nächsten Stunde vorbereitet werden sollte. Aber bis dahin hatten Remé und Schmidt schon ein neues Thema gefunden.

Das war eine völlig freie Art des Unterrichts und hatte mit Pädagogik auf den ersten Blick wenig zu tun. Und doch waren diese Stunden pädagogisch wertvoll – zumindest für die Schüler Remé und Schmidt. Leider hat es Herr Roemer versäumt, die anderen Schüler etwas mehr einzubeziehen, sonst wäre diese Form der qualifizierten Diskussion zwischen Lehrer und Schülern dem Ideal der Erziehung schon recht nahe gekommen.

Einer unserer Lieblingslehrer war Ernst Schöning,

Ernst Barlach, 1870–1938

er war der Turnlehrer. Unter den Schülern hatte sich herumgesprochen, dass er im Ersten Weltkrieg Chef einer Maschinengewehr-Kompanie gewesen war. Das verlieh ihm in unseren Augen eine gewisse Autorität, war aber nicht ausschlaggebend für das hohe Ansehen, in dem Herr Schöning bei uns stand. Beliebt war er vor allem wegen seines tollen, fast kameradschaftlichen Umgangs mit uns Jugendlichen. Er war ein großartiger Lehrer, genau wie John Börnsen, aber in die Kategorie des Vorbilds hätte ich die beiden nicht erhoben. Vielleicht können Lehrer in dem Sinne gar nicht Vorbild sein, weil der Abstand zwischen Schüler und Lehrer viel zu groß und das Verhältnis klar definiert ist.

33

Ich war 1929, mit zehn Jahren, auf die Lichtwarkschule gekommen, eine Reformschule nach dem so genannten Jena-Plan. Es handelte sich um eine reine Tagesschule; es gab gemischte Klassen, das heißt, Mädchen und Jungen wurden gemeinsam unterrichtet, und auf die musischen Fächer legte man besonderen Wert. Im Frühjahr 1933 mussten viele Lehrer, die als politisch unzuverlässig galten, und Lehrer jüdischer Herkunft die Schule verlassen; einige sind durch Auswanderung ihrer Entlassung zuvorgekommen.

Zur Verabschiedung des allseits beliebten Schulleiters Heinrich Landahl an Ostern 1934 versammelte sich die Schülerschaft im Treppenhaus und stand Spalier. Er sei angetreten, um den roten Sumpf auszumisten, sagte der neue, von den Nazis eingesetzte Direktor Erwin Zindler in einer Rede vor der versammelten Schulgemeinde. Mit Zindler kamen alle möglichen Lehrer von anderen Schulen; ich vermute, dass man sie dort schon seit Längerem loswerden wollte und gern zu uns abschob. Es waren insgesamt wohl weniger stramme Nazis als vielmehr auf die eine oder andere Weise beschränkte Lehrkräfte – so habe ich den Wechsel damals jedenfalls wahrgenommen.

Einen Monat bevor Hitler zum Reichskanzler ernannt wurde, war ich vierzehn Jahre alt geworden. Ich erinnere mich, dass meine Oma Koch zu einer ihrer Töchter sagte: «Was für ein Glück, dass Heinrich das nicht mehr erleben musste!» Heinrich war ihr verstorbener Mann, mein Großvater, der Ende 1932, wenige Wochen vor der Machtübernahme durch die Nazis, gestorben war. Ich verstand überhaupt nicht, wieso es ein Glück sein sollte, dass Opa tot war. Das habe ich nicht begriffen. Das bedeutet, ich war politisch ahnungslos.

Der politische Wechsel des Jahres 1933 brachte es mit sich, dass ich anfing, genauer zwischen den einzelnen Lehrern zu unterscheiden. Vorher spielte es keine Rolle, ob ein Lehrer sozialdemokratisch, kommunistisch oder deutschnational gesinnt war (Nazis gab es unter den Lehrern der Lichtwarkschule vor 1933 wahrscheinlich gar nicht). Mit dem Machtantritt Hitlers änderte sich das. In den jetzt zwangsläufig werdenden Auseinandersetzungen mit der Nazi-Ideologie brauchte man Orientierung, und die suchte man in erster Linie bei den Lehrern. Ich hielt mich an diejenigen, von denen ich glaubte, dass sie den Nazis ablehnend gegenüberstanden. Zu Ostern 1937 wurde die Schule von den Nazis geschlossen, Mädchen und Jungen sollten fortan wieder an getrennten Anstalten unterrichtet werden. Da man gleichzeitig die Schulzeit auf zwölf Jahre verkürzte, konnte ich an Ostern 1937 das vorgezogene Abitur zum Glück gerade noch an meiner alten Schule ablegen.

*

Durch die Lichtwarkschule wurde mir eine Welt erschlossen, die mich weit über die Grenzen meines Elternhauses hinausführte. Die Schule muss deshalb an erster Stelle genannt werden, wenn ich heute über wichtige Prägungen meiner Jugend schreibe. Möglicherweise geschieht meinen Eltern damit Unrecht, denn schließlich waren sie es, die meine ersten Schritte gelenkt haben. Bei der Wahl der Schule waren sie dem Rat von Tante Emma gefolgt, einer Freundin, die diese Schule kannte und ihnen gesagt hatte: «Ihr müsst die Jungs auf die Lichtwarkschule tun.»

Mein Vater, vom Typus her ein kühler Norddeutscher, war für mich Respektsperson. Wenn er in seinem Zimmer arbeitete, hatte ich leise zu sein. Mir wurde das Gefühl vermittelt, dass seine Arbeit wichtig war, aber was genau er machte, blieb unklar. An meiner Erziehung war er nicht beteiligt, die lag – wie damals in vielen Familien üblich – in den Händen meiner Mutter. Ihre Rolle war für mich genauso selbstverständlich wie die Rolle meines Vaters, und nie wäre ich auf die Idee gekommen, über diese Verteilung nachzudenken. Dass meiner Erziehung ein pädagogisches Konzept zugrunde lag, das über die allgemeinen Vorstellungen der damaligen Zeit hinausging, bezweifle ich.

Die Machtübernahme durch die Nazis 1933 wirkte bis in meine Familie hinein und führte zu Spannungen mit meinen Eltern. Im Jahr zuvor hatten mir meine Eltern keine Erlaubnis gegeben, in die bündische Jugend einzutreten, jetzt verboten sie mir den Eintritt in die Hitlerjugend. «Da gehst du nicht hin», hieß es. Punkt. Dieses strikte Verbot weckte meinen Trotz. Weil der Stil der bündischen Jugend, die Art ihrer Kameradschaft und das freie Leben in der Natur mich damals mächtig anzogen, suchte ich nach Ersatz. Ich wollte genau wie die Bündischen auch «auf Fahrt gehen» und plante für den Sommer 1933 zusammen mit meinem zwei Jahre jüngeren Bruder eine Fahrradtour an den Rhein. Der Vater gab seine Zustimmung, was ich im Nachhinein höchst erstaunlich finde, schließlich war mein Bruder im Juni erst zwölf geworden.

Wir radelten zunächst Richtung Bremen und von dort weiter Richtung Köln. Von Köln nach Bonn fuhren wir auf der ersten deutschen Autobahn, die im Jahr zuvor von dem Kölner Oberbürgermeister Konrad Adenauer eingeweiht worden war. Einen großen Eindruck hinterließ bei mir der Besuch der Benediktinerabtei Maria Laach in der Eifel. Es war eine wunderbare Reise. Wir fühlten uns frei wie die Wandervögel, nur die Klampfe fehlte. Die Verpflegung war spärlich, geschlafen haben wir meist bei Bauern im Heu, manchmal auch in einer Jugendherberge, und mindestens einmal am Tag hatten wir einen platten Reifen.

Die Reise endete bei Onkel Jakob auf Schloss Vollrads im Rheingau. Jakob Hamm gehörte zu der weitläufigen Sippe meiner Mutter, die ursprünglich aus dem Rheinhessischen stammte und von der gegen Ende des 19. Jahrhunderts nicht wenige nach Nord- und Südamerika ausgewandert waren, weil sie sich dort bessere Chancen erhofften. Onkel Jakob war Gutsverwalter auf dem berühmten Weingut Schloss Vollrads geworden, ein Winzer mit Leib und Seele. Der Wein, die Arbeit im Weinberg und die Arbeit im Keller waren seine Welt. Aber er muss wohl auch ein Nazi gewesen sein.

Mein Bruder und ich wurden vierzehn Tage zur Arbeit im Weinberg herangezogen. Obwohl die Hänge zwischen Eltville und Rüdesheim nicht sehr steil sind, war die Arbeit für uns norddeutsche Jungen doch ungewohnt und mühsam. Wir trugen schwere Kiepen mit Chemikalien auf dem Rücken und mussten die Stöcke besprühen. Zum Mittag gab es den so genannten Haustrunk, an den ich mich erst gewöhnen musste, wie an so vieles in dieser wunderbaren, aber mir fremden Gegend. Als besonders schön habe ich eine Fahrradtour ins Wispertal in Erinnerung.

Als die Ferien zu Ende waren, drängte ich weiter auf einen Eintritt in die Hitlerjugend. Meine Eltern begründeten ihre Ablehnung nicht, sondern sagten nur: «Das geht nicht.» Auf meine Frage nach dem Warum gingen sie nicht ein. Ende 1933 oder Anfang 1934 nahm meine Mutter mich dann beiseite und sagte: «Weil du einen jüdischen Großvater hast. Aber du darfst mit niemandem darüber reden, auch nicht mit Vati.» Indem sie mich einweihte, verstieß sie offenbar gegen ein Verbot meines Vaters.

Bis dahin hatte ich Opa Schmidt für meinen leiblichen Großvater gehalten. Mein Vater war jedoch unehelich geboren, ein Makel, unter dem er sein Leben lang litt. Dass sein leiblicher Vater überdies jüdisch war, bereitete ihm nach 1933 große Sorgen. Als Loki und ich 1942 heiraten wollten, habe ich mit ihm zum ersten Mal über seinen Vater geredet, denn um die Heiratserlaubnis zu bekommen, brauchte ich den so genannten Arier-Nachweis. Da bin ich zu meinem Vater gegangen und habe ihn gefragt: «Was soll ich machen?»

Weil mein Vater seit Langem mit einer Situation rechnete, in der er entsprechende Papiere vorweisen musste, hatte er sich Jahre vorher beim hamburgischen Standesamt oder im Staatsarchiv eine Bescheinigung besorgt: «Vater unbekannt», mit Stempel und Unterschrift. Von diesem Dokument ließ ich eine beglaubigte Abschrift machen und legte sie meinem militärischen Vorgesetzten vor, der mir den Nachweis der arischen Abstammung bescheinigte, ohne sich allerdings sonderlich für das Papier zu interessieren.

Die Angst vor Entdeckung – mein Vater hatte mit seinem Erzeuger sogar Briefe gewechselt – belastete meinen Vater ganz außerordentlich. Wenn jemand sich für die Genealogie der Familie Schmidt interessiert hätte, wäre der Schwindel leicht aufgeflogen. Diese Angst hat meinen Vater in den zwölf Jahren Naziherrschaft völlig zerstört. Bei Kriegsende war er noch keine sechzig Jahre alt, aber da konnte er keine wichtige Entscheidung mehr selber treffen. Im Kältewinter 1946/47 wohnte er mit meiner Mutter in einer Dachwohnung ohne Heizung – da habe ich sie rausgeholt, von sich aus hätte er das nicht geschafft.

Er war aufgestiegen als Sohn eines Schauermanns, eines ungelernten Hafenarbeiters. Weil er wegen guter Leistungen auffiel, durfte er ein Jahr länger zur Schule gehen und die neunte Klasse, die so genannte Selekta, besuchen. Auf Vermittlung eines Lehrers bekam er anschließend eine Lehrstelle in einem Anwaltsbüro, von dort arbeitete er sich über das dreijährige Lehrerseminar hoch. Dann wurde er Soldat und im Frühjahr 1919, gleich nach dem Krieg, Volksschullehrer. In den zwanziger Jahren wurde er über das Abendstudium Diplomhandelslehrer, dann Studienrat und am Ende Leiter einer Handelsschule für Anwaltsgehilfen. 1933 wurde er dieses Postens enthoben, blieb aber als Studienrat und damit als Beamter weiterbeschäftigt.

Mein Vater hatte seine ganze Energie auf seinen Aufstieg verwendet, und nach dem zweiten Krieg war die Energie weg. Erst sehr viel später, eigentlich erst nach seinem Tod, habe ich begriffen, welch eine enorme Lebensleistung dieser Aufstieg bedeutete. Mein Vater seinerseits hatte keine ausreichende Vorstellung mehr von dem, was ich tat. Irgendwann in den siebziger Jahren fragte er Loki oder unsere Tochter Susanne einmal: «Was ist das, was Helmut jetzt ist?» Sie hat es ihm erklärt: «Bundeskanzler.» «Ach so», sagte er, «so was Ähnliches wie Bismarck.»

*

Zu den prägenden Einflüssen meiner Jugend zähle ich neben dem, was mir in Schule und Elternhaus mitgegeben wurde, die regelmäßigen Besuche in der Künstlerkolonie Fischerhude. Zentrum des Ortes in der Niederung der Wümme, wenige Kilometer südlich von Worpswede, war für mich das gastfreundliche Haus von Olga Bontjes van Beek. Sie war die jüngste Tochter des Malers Heinrich Breling. Durch ihn war bereits vor dem Ersten Weltkrieg eine Reihe von Künstlern nach Fischerhude gelockt worden, darunter Otto Modersohn, der in dritter Ehe die zweitälteste

Tochter Brelings geheiratet hatte, und Clara Rilke-West-hoff.

Im Sommer 1933, während der Fahrradtour mit meinem Bruder, war ich zum ersten Mal in Fischer-hude gewesen. Onkel Heinz hatte dort einen Freund, einen ehemaligen Kriegskameraden bei der Marine, der nach Fischerhude geheiratet hatte. Weder der Ort noch seine Bewohner hinterließen damals bei mir ei-nen besonderen Eindruck. Fünf Jahre später, im Som-mer 1938, kam ich wieder. Ich war jetzt bei der Flak in Bremen-Vegesack und nutzte die Wochenenden, an denen ich nicht Wache schieben musste, zu Fahrten ins nahe gelegene Fischerhude.

Die 50 Pfennig, die ich als Soldat am Tag bekam, reichten aus, um am Sonnabend mit der Eisenbahn von Vegesack nach Sagehorn zu fahren – Umsteigen in Bremen-Hauptbahnhof. Von Sagehorn ging es zu Fuß durch die Wümmeniederung nach Fischerhude. Das waren ungefähr acht Kilometer, und man musste über 21 Brücken. Die Wümme, die heute leider weit-gehend begradigt ist, war damals in viele Arme und kleine Wasserläufe aufgespalten und bildete ein brei-tes Binnendelta. Im Winter, wenn es zu Überschwem-mungen kam und alles zufror, sah man die Menschen bis nach Osterholz-Scharmbeck Schlittschuhlaufen. Es war eine endlose Weite. Zum ersten Mal habe ich Landschaft bewusst erlebt.

Olga Bontjes van Beek war damals Anfang vierzig, also mehr als zwanzig Jahre älter als ich. Heute möch-te ich sie als diejenige Persönlichkeit bezeichnen, die mich bis in den Krieg hinein am meisten beeindruckte. Ich genoss die freiheitlich-künstlerische Atmosphäre, die in ihrem Haus herrschte, und mir gefielen ihre Bilder. Sie malte damals noch wenig, und erst sehr viel später entwickelte sie den für sie typischen Stil: norddeutsche Landschaften in kräftig leuchtenden, pastos aufgetragenen Farben. Um die skulpturale Wirkung ihrer Bilder zu erhöhen, mischte Olga Bontjes Sand in die Ölfarben. Vielleicht habe ich ihre Malerei künstlerisch überschätzt, vielleicht steht ihre Entdeckung noch bevor – ich vermag das nicht zu entscheiden. In meinem Schlafzimmer hängen jedenfalls fünf Landschaften aus ihrer späteren Schaffensperiode, an denen ich mich jeden Abend und jeden Morgen erfreue.

Alles wirkte zusammen: die Landschaft, die Menschen, die Kunst. Jahrzehnte später nannte ich das Haus von Olga Bontjes van Beek den Ursprungsort meiner geistigen Orientierung und in einem höheren Sinn meine eigentliche Heimat. Wichtiger noch als die Gespräche über Kunst, Musik und Literatur war für mich das menschliche Vertrauen, das in diesem Kreis herrschte. Alles duzte sich gegenseitig. Die Wärme, mit der ich dort aufgenommen wurde, vermittelte mir das Gefühl, nach Hause zu kommen. Fischerhude und insbesondere das Haus von Olga Bontjes waren ein Ersatz für das Elternhaus. Da hinten liegt Fischerhude, habe ich später oft gedacht, da kann ich hingehen, wenn es mir mal schlecht geht.

Im Haus von Olga Bontjes trafen sich Menschen, von denen man zwei Dinge mit Sicherheit annehmen konnte: dass sie in irgendeiner Weise künstlerisch tätig, zumindest künstlerisch stark interessiert waren und dass es sich um keine Nazis handelte. Kam ein Gast, über dessen politische Einstellung man sich nicht ganz im Klaren war, wurde man vorab gebeten, mit seinen Äußerungen vorsichtig zu sein. Olga Bontjes, die ursprünglich Tänzerin gewesen war und später als Malerin arbeitete, hatte einen Sohn, Tim, der Pianist werden wollte, seine Karriere wegen einer Handverletzung im Zweiten Weltkrieg aber aufgeben musste. Außerdem gab es zwei Töchter, die ebenfalls ein paar Jahre jünger waren als ich, Cato und Mietje, genannt Meme.

Fischerhude war für mich wie eine Oase, eine Oase mitten in Nazideutschland. In meiner Erinnerung spielen politische Diskussionen kaum eine Rolle, aber es muss dort auch über die politische Entwicklung gesprochen worden sein. Insbesondere Amelie Breling, die älteste Tochter von Professor Breling, die als Keramikerin arbeitete, machte wohl aus ihrer Ablehnung des Regimes keinen Hehl. Auch ihre Nichte Cato hatte schon früh eine dezidierte Meinung über die Nazis. Ihr Vater, der Keramiker Jan Bontjes van Beek, war Holländer, deshalb war sie einige Jahre in Amsterdam zur Schule gegangen, vorübergehend wohl auch in England, und diese Auslandserfahrungen hatten ihren Blick für die Zustände in Nazideutschland geschärft. In Fischerhude habe ich Cato nur zwei- oder dreimal gesehen.

Im Sommer 1942 – ich war beim Oberkommando der Luftwaffe in Berlin – bummele ich über den Kurfürstendamm und treffe die gleichfalls bummelnde

Cato. Großes Hallo: «Wie geht es dir, was machst du?» Wir kommen ins Reden, und Cato erzählt, dass am nächsten oder übernächsten Tag eine Party stattfinde, ich solle doch einfach dazukommen. Ich bin hingegangen. Es handelte sich um eine große Altberliner Wohnung in der Bismarckstraße, es waren vielleicht vierzig Leute da. Ich trug als Einziger Uniform, und außer Cato, kannte mich keiner. Umso mehr entsetzte mich, mit welcher Offenheit Cato und ihre Gäste Kritik am Regime äußerten. Ich dachte, mich laust der Affe! Das alles war äußerst leichtfertig.

Ein oder zwei Tage später machte ich mich auf, um Cato zu warnen und ihr zu sagen, dass sie sich über die gefährlichen Folgen ihrer freimütigen Reden offenbar nicht im Klaren sei. Ich klingelte an der Wohnung, die sie mir als Adresse genannt hatte. Ihr Vater öffnete, fertigte mich aber gleich an der Wohnungstür ab: «Mit Nazis wollen wir hier nichts zu tun haben!» Ich war weiß Gott kein Nazi, und es schmerzte mich, so behandelt zu werden. Es war mein letzter Kontakt. Im September 1942 wurde Cato wohl aufgrund von Kontakten zur «Roten Kapelle» verhaftet und ein Jahr später wegen Beihilfe zur Vorbereitung zum Hochverrat hingerichtet. Die Nachricht von ihrem Tod war für mich wie eine Bestätigung dessen, was ich an jenem Abend erlebt hatte: Wer so offen redete, spielte mit seinem Leben.

Ich hielt damals die Nationalsozialisten für verrückt. Dass sie verrückt sein mussten, war mir Mitte 1937 klar geworden, kurz bevor ich zum Wehrdienst eingezogen wurde und meine regelmäßigen Besuche in Fischerhude begannen. Unter dem Titel «Entartete Kunst» hatten sie in diesem Sommer eine Ausstellung organisiert, in der sie alles zusammentrugen, was ihrer Meinung nach undeutsch war. An der Spitze der von den Nazis als «entartet» bezeichneten Künstler standen die von mir verehrten Expressionisten. Diese ekelhafte Propaganda gegen Künstler vom Rang Barlachs, Noldes, Kirchners und Schmidt-Rottluffs empörte mich und verschaffte meinem instinktiven Widerwillen gegen den Nationalsozialismus eine stark emotionale Grundlage. Noch ahnte ich nichts vom verbrecherischen Charakter des Regimes.

Im Fischerhuder Freundeskreis teilte man meine Ansichten. Was Amelie Breling oder ihre Nichte Cato darüber hinaus an Opposition forderten, besaß für mich jedoch wenig politische Relevanz. Ich sympathisierte im Zweifel mit denen, die gegen das Regime eingestellt waren. Aber für mich ging es um eine ganz andere Frage. Es ist mir damals nicht klar gewesen, aber wenn ich heute darüber nachdenke, so lautete die entscheidende Frage für mich: Wie komme ich raus aus Nazideutschland? Das Motiv war Angst. Es war die gleiche Angst vor Entdeckung, die meinen Vater umtrieb, die unbestimmte Angst, dass seine jüdische Abstammung herauskommen könnte. Solche Tragödien muss es damals in Deutschland millionenfach gegeben haben, und in der Flucht aus Deutschland lag für Millionen die einzige Hoffnung.

Im Sommer 1939, als nach zwei Jahren das Ende meiner Wehrpflicht absehbar war, sprach ich deshalb bei der Deutschen Shell am Alsterufer in Hamburg

vor. Ich hatte weder ein Bewerbungsschreiben geschickt, noch gab es eine Stellenausschreibung. Ich
klingelte einfach an der Pforte und bat um ein Vorstel-
lungsgespräch; noch heute weiß ich den Namen des
Mannes, mit dem ich das Gespräch führte: Gerhard
Neuenkirch. Ich würde demnächst aus dem Wehrdienst entlassen, sagte ich, und dann würde ich gern
als Volontär der Shell nach Holländisch-Indien gehen.
Ich hatte mich vorzeitig für zwei Jahre zur Wehrmacht
verpflichtet, um anschließend in Ruhe studieren zu
können. Ich wollte Architekt werden, genauer gesagt
Städtebauer. Aber weder aus dem ursprünglich geplanten Studium noch aus dem angestrebten Volonta-
riat bei der Shell ist etwas geworden. Weil am 1. September der Krieg ausbrach, musste ich die Uniform
gleich anbehalten.

Acht Jahre Soldat

Die Journalistin Sandra Maischberger hat mir einmal eine erstaunliche Frage gestellt: «Sie haben doch auf die so genannten Feinde geschossen – warum eigentlich?» Im Rückblick ist das eine verständliche Frage, jedenfalls bei uns in Deutschland. In Russland, in Frankreich, in England, in Polen würde man eine solche Frage nicht stellen. Meine Antwort war zweigeteilt.

Ich weiß nicht, wie viele Dörfer wir in Brand geschossen haben. Wir sollten Widerstandsnester ausräuchern, das war Befehl. Ich weiß auch nicht, wie viele Iljuschin IL-2 wir vom Himmel geholt haben. Das allerdings war nicht Befehl. Das war Selbsterhaltung, denn die russischen Flugzeuge schossen mit ihren Bordwaffen auf uns und warfen ihre Bomben. Mit anderen Worten: Ich habe nicht geschossen, weil es befohlen war, sondern weil die so genannten Feinde gleichzeitig auf mich geschossen haben. Ich wollte überleben. Die Kunst zu überleben war tatsächlich eine Kunst – eine Kunst, die man lernte. Gefallen sind in der Regel die jungen unerfahrenen Burschen. Die alten Obergefreiten wussten, in welche Ecke man sich werfen musste.

Mindestens die Hälfte des Krieges habe ich in Stäben des Oberkommandos der Luftwaffe in Berlin und anderswo verbracht. Als Leutnant der Reserve wurde ich mit Aufgaben betraut, die eigentlich in den Verantwortungsbereich von Generalstabsoffizieren fielen. Da viele von ihnen jedoch in den Divisionen eingesetzt waren, wurden junge Leutnants herangezogen, denen man eine gewisse Intelligenz zutraute.

Es war eine ähnliche Existenz, wie sie die Masse der Marinesoldaten führte, die jeden Tag damit rechnen mussten, dass der Befehl zum Auslaufen kam. Angst, an die Front abkommandiert zu werden, hatte ich nicht.

Im Sommer 1941 wurde ich einer leichten Luftwaffen-Flakabteilung im Rahmen der 1. Panzerdivision zugeteilt, die im Russlandfeldzug eingesetzt war. Wir waren zunächst beim Vorstoß gegen Leningrad beteiligt und im Herbst 1941 beim Vorstoß gegen Moskau. Die Soldaten haben sich gewundert, was Luftwaffenoffiziere beim Heer zu suchen hatten; als immer mehr Panzer verloren gingen, war man froh, wenigstens die Halbkettenfahrzeuge der Flak als Panzer verwenden zu können. Es war grauenhaft, aber der Gedanke, abzuhauen, überzulaufen, fahnenflüchtig zu werden, kam mir nicht – wohl aus Angst vor den Sowjets.

Die zweite Phase des Krieges, die ich als existenzbedrohend erlebte, war die Ardennenoffensive. Den Einsatz im Januar 1945 hatte ich meinem losen Mundwerk zu verdanken: Ich hatte einen Witz über Göring gemacht – über seine rosa Schuhe oder dergleichen –, und es war Anzeige erstattet worden. Zwei Oberste bestellten mich zu sich: «Gegen Sie läuft ein Ermittlungsverfahren wegen Wehrkraftzersetzung. Sie müssen verschwinden, deshalb haben wir Sie in die Ardennen versetzt.» Ich war den beiden für die hilfreiche Versetzung dankbar.

In den Ardennen wurde es schlimm. Eine übermächtige englische und amerikanische Luftwaffe beherrschte den Himmel bei Tag und Nacht. Wir durften nur dann das Feuer eröffnen, wenn wir unsere nächste Stellung schon erkundet hatten, denn innerhalb von 15 Minuten würde uns die amerikanische Artillerie in Grund und Boden schießen. In Russland hatten wir Angst gehabt vor Gefangenschaft und schwerer Verwundung, hier im Westen nur vor schwerer Verwundung. Die Angst vor dem Tod spielte eine weit geringere Rolle als die Angst vor Schmerzen und Verstümmelung.

Der menschliche Zusammenhalt der Truppe war außerordentlich wichtig. Man konnte sich aufeinander verlassen; man wusste, dass einen die Kameraden, wenn es darauf ankam, nicht liegen lassen würden. Zuverlässigkeit war ein ganz hoher Wert, eng verwandt mit der Treue. Menschliche Größe erwies sich nicht zuletzt im Umgang mit den Verwundeten. Die Verwundeten schrien vor Schmerzen – manche auch vor Aufregung –, und einem Kameraden in dieser Situation beizustehen, erforderte Mut.

Ziemlich gegen Ende des Krieges bekam einer meiner Leute eine Granate in den Unterleib; er schrie furchtbar, und die beiden nur oberflächlich ausgebildeten Sanitäter trauten sich an den Jungen nicht ran. Also musste ich als Batteriechef das machen. Es war schrecklich: ein schreiender Mann, alles voller Blut, alles zerfetzt, und vom Bauchnabel ab nichts mehr da, nur die Beine hingen noch dran. Wir haben ihn zum Hauptverbandsplatz gebracht, und dort ist er am selben Tag gestorben. Solche Sachen hatte ich auch in Russland erlebt. Da erwarb man sich Achtung, wenn man seine Pflicht erfüllte. Ich betrachte es noch heute als ein ganz großes Glück, ohne ernste Verwundung aus dem Krieg gekommen zu sein.

Neben den «Selbstbetrachtungen» des Marcus Aurelius trug ich den ganzen Krieg über einen schmalen Band von Matthias Claudius bei mir: eine Feldpostausgabe seines Vermächtnisses von 1799 «An meinen Sohn Johannes». Es waren vor allem drei Sätze, über die ich viel nachdachte und an denen ich mich in Zweifelsfällen orientierte: «Gehorche der Obrigkeit und lass die anderen über sie streiten. Sei rechtschaffen gegen jedermann, doch vertraue Dich schwerlich. Mische Dich nicht in fremde Dinge, aber die Deinigen tue mit Fleiß.»

Als Soldat stand man vor der Frage, wie erkenne ich, was hier und heute meine Pflicht ist. Immer wieder kam es zu Situationen, in denen es darum ging, seine Pflicht richtig zu definieren. Ich begriff, dass ich jenseits aller Befehle die Folgen meiner Entscheidung selbst zu verantworten hatte. Die Pflicht bestand darin, die Folgen einer Entscheidung gründlich abzuwägen. Allerdings fehlten mir wesentliche Voraussetzungen, die politische Wirklichkeit des Krieges einigermaßen realistisch einschätzen zu können. Am 1. September 1939 hatte ich tatsächlich geglaubt, was im Rundfunk behauptet wurde: dass polnische Truppen den Sender Gleiwitz überfallen hätten, weshalb wir Deutschen uns jetzt wehren müssten.

Beim Angriff auf die Sowjetunion im Juni 1941 – Ende dieses Jahres wurde ich 23 Jahre alt – war mein historisches und politisches Wissen noch immer begrenzt. Aber es war insgesamt ausreichend, um beurteilen zu können, dass wir diesen Krieg verlieren würden. Ich geriet darüber in einen heftigen Konflikt mit einem Nennonkel, Hermann Ötjen, Hauptmann d. R., im Zivilberuf Studienrat an einer Handelsschule und Kollege meines Vaters. Ich traf Onkel Hermann in der Wohnung von Liesel Scheel in Bremen, und wir gerieten ziemlich schnell aneinander. Ötjen war Nazi geworden und glaubte fest an den Endsieg. «Wir können froh sein, wenn wir am Ende des Krieges in Baracken leben und nicht in Erdlöchern», sagte ich zu ihm. «Der neue deutsche Baustil wird Barack heißen.» Nach diesem Gespräch haben wir es beide jahrzehntelang vermieden, uns noch einmal zu treffen.

Zwei Bücher hatten nachhaltigen Eindruck auf mich gemacht und mir geholfen, den Aufstieg der Nazis besser zu verstehen: «Psychologie der Massen» von Gustave Le Bon und Ortega y Gassets «Aufstand der Massen». Beide Werke standen im Bücherschrank meines Vaters. Dort fand ich auch den Ende der zwanziger Jahre erschienenen Roman von Erich Maria Remarque, «Im Westen nichts Neues», in dem das Elend des Frontalltags drastisch beschrieben wurde. Die Lektüre hat mich ziemlich mitgenommen. Für mich war der Erste Weltkrieg Geschichte, ein abgeschlossenes Kapitel, aber nach der Lektüre konnte ich mir eine Vorstellung davon machen, was Krieg bedeutete. Als ich wenig später «Helden und Heldenverehrung» von Thomas Carlyle in die Hände bekam, war ich entsetzt von so viel falschem Pathos. Es gehört für mich bis heute in die Reihe jener schlimmen Bücher, die zur Kriegsbegeisterung beigetragen hatten.

Durch Remarque war ich gegenüber allen Formen des Heldentums misstrauisch geworden, und diese Skepsis behielt ich bei, als ich 1937 selber Soldat wurde. Ich war acht Jahre Soldat – von meinem 19. bis zu meinem 27. Lebensjahr –, und der Einfluss dieser acht Jahre auf die Bildung meiner Persönlichkeit ist nicht zu unterschätzen. Aber wie soll ich diesen Einfluss beschreiben? Ich habe als Soldat meine patriotische Pflicht erfüllt, indem ich die Befehle meiner militärischen Vorgesetzten ausführte. Ich habe darauf vertraut, dass die Generäle, von denen diese Befehle ausgingen, ebenfalls ihre Pflicht erfüllten und verantwortlich handelten. Irgendwann im Verlauf des Russlandfeldzuges begriff ich, dass meine Erwartungen an die Generalität nicht erfüllt wurden. Wir Soldaten bekamen zwar nicht mit, wer welche strategischen Entscheidungen zu verantworten hatte. Aber der bedingungslose Kampf um die so genannte Festung Stalingrad zum Beispiel entsprach sicherlich nicht der Meinung der Generalität. «Was ist bei denen los?», fragte ich mich manchmal.

Allerdings lohnt es sich, genau hinzuschauen. Erwin Rommel, der Vater des späteren Stuttgarter Oberbürgermeisters, war sicherlich kein überzeugter Nazi. Aber er ist mitgeschwommen und brachte es bis zum Generalfeldmarschall. Rommel ist der typische Fall eines durch schnellen Aufstieg und glänzende Erfolge verführten Generals. Zwar hatte er Verbindungen zu einigen Leuten aus dem Widerstand, und nach dem Attentat vom 20. Juli 1944 tauchte sein Name im Umfeld der Verschwörer auf. Dennoch halte ich es für eher unwahrscheinlich, dass Rommel die Beseitigung Hitlers unterstützte. Weil Hitler in ihm letztes Endes einen Helden sah, ließ er Rommel die Möglichkeit, sich selbst zu töten. Und das hat er Anfang Oktober auch getan.

Vier Wochen vorher war ich als Zuhörer zu einem der Prozesse vor dem Volksgerichtshof abkommandiert worden. An diesem Tag wurde gegen fünf Angeklagte verhandelt. Die ekelhafte, obszöne Art, wie der Gerichtspräsident Freisler mit ihnen umging, vergesse ich nie. Man hatte den Angeklagten die Hosenträger abgenommen, und immer wenn sie aufstanden, mussten sie die Hose festhalten, damit sie nicht herunterrutschte. Man sah ihnen an, dass sie Schweres durchgemacht hatten. Es war entsetzlich und würdelos. An diesem Nachmittag habe ich begriffen, dass die Nazis Verbrecher waren.

Als ich anschließend zurück in die Kaserne in Bernau kam, empfing mich mein Kommandeur mit den Worten: «Na Schmidtchen, was haben die Braunen nun wieder angestellt?» So redete ein älterer Generalleutnant mit einem jungen Oberleutnant – auf einer Dienststelle des Generalstabs! Wenn es um die Nazis ging, herrschte auf unserer Dienststelle ein freier, salopper Ton. Die Generäle und höheren Offiziere waren wohl mehrheitlich deutschnational. Mit einer Ausnahme habe ich in diesen Kreisen in acht Soldatenjahren keinen einzigen überzeugten Nazi getroffen. Ähnliches galt für die Mannschaftsgrade. Nachdem sich die Stubenkameraden in Bremen-Vegesack näher kennengelernt hatten, stellten wir übereinstimmend fest, wie viel Glück wir hätten, bei einem so «anständigen» Verein wie der Luftwaffe gelandet zu sein. Luftwaffe, das bedeutete im Übrigen auch: frei von jeglichem Preußentum!

Zwei Angeklagte hatten mich am Prozesstag durch ihre Haltung besonders beeindruckt: Josef Wirmer, Bruder des späteren Ministerialdirektors, und der ehemalige Botschafter Ulrich von Hassell. Wenn Hassell von Freisler angesprochen wurde, stand er auf und blieb stehen, und wenn die Anrede zu Ende war, setzte er sich wieder hin; dabei verzog er keine Miene, machte keine Geste. Hassell ist als Held gestorben. Nach dem Krieg habe ich seiner Witwe einen Brief geschrieben. Ich sah es als meine Pflicht an, ihr zu sagen, welch großen Eindruck ihr Mann in seinen letzten Stunden auf mich gemacht hatte. Aus diesem Brief vom Juni 1946 möchte ich einige Sätze zitieren:

«Die ganze Verhandlung war eine einzige Schaustellung Freislers, der dabei Goebbels'sche Intelligenz und demagogische Zungenfertigkeit mit dem Jargon des Pöbels vereinigte. Dass diese Verhandlung aller

Prozessordnung hohnsprach; dass keine Zeugen da waren; dass die Offizialverteidiger ganz offenbar erst in der voraufgehenden Nacht bestimmt worden waren; dass die Angeklagten kaum einen Satz vollenden konnten, ohne unterbrochen zu werden; dass nur verhandelt wurde, was in den Freisler'schen Plan passte: Es war so bedrückend, dass ich es nicht vermochte, auch den zweiten Tag wieder hinzugehen. Ich habe nachher im Gespräch mit Kameraden gesagt, dass ich mit Genugtuung und bedenkenlos Freisler töten könnte ...

Freisler, dem es nur darum zu tun war, vor den Zuhörern und der Tonfilmapparatur jede Nuance zu vermeiden, die geeignet war, positiv für die Angeklagten ausgelegt oder empfunden zu werden, unterbrach ständig in der verletzendsten Form, worauf Ihr Herr Gemahl vorzog, zu schweigen und alle Beschimpfungen an sich abgleiten zu lassen ... Er folgte der Verhandlung mit abgewandtem Blick und starren Gesichtszügen, denen die Verachtung für dieses Gericht abzulesen war, und gab die verlangten Antworten in knappster Form, ohne Freisler anzusehen. Ich glaube, dass selbst die SS-Führer im Zuhörerraum gemerkt haben, wer hier der eigentliche Sieger war ... Sie werden verstehen, gnädige Frau, dass von dieser Zeit an der Konflikt zwischen der Erkenntnis des Endes, dem wir zusteuerten, und der Idee der soldatischen Pflichterfüllung gegen das Vaterland, zu der wir ja doch einmal unabdingbar erzogen waren, gerade in uns jüngeren Offizieren unerträglich wurde.»

Ich gestehe, dass ich mich mit dem Attentat vom

20. Juli schwergetan habe. Stauffenberg habe ich nicht als vorbildlich empfunden, und das Attentat war nach meinem damaligen Urteil dilettantisch durchgeführt worden. Zwei oder drei Tage nach dem Anschlag hatten Loki und ich in Bernau Besuch von einem ehemaligen Schulkameraden, Helmut Pleß, den wir Nuggel nannten. Er war Ritterkreuzträger. «Nee, Schmidtel», sagte Nuggel, «so doch wohl nicht.» Mit diesem einen Satz brachte er zum Ausdruck, was auch ich empfand: Ein so dilettantischer Versuch musste schiefgehen.

Später war es für mich als Verteidigungsexperte der SPD und Verteidigungsminister selbstverständlich, dass man das Erbe des Widerstands gegen Hitler in die Tradition der neuen Bundeswehr integrieren musste. In den innerparteilichen Debatten über die Wehrpolitik habe ich mich wiederholt auf den sozialdemokratischen Reichstagsabgeordneten Julius Leber berufen, der zwei Wochen vor dem Attentat verhaftet worden war. Leber war eine der großen politischen Hoffnungen der Sozialdemokratie am Ende der Weimarer Republik. Das Foto, das ihn vor dem Volksgerichtshof zeigt, hängt bis heute in meinem Büro.

In einer Gedenkveranstaltung zum hundertsten Geburtstag von Julius Leber sagte ich 1991: «Vorbilder sind Hilfen zur Selbsterkenntnis. Sie bieten zugleich einen strengen Maßstab. Es ist die Ehre der deutschen Sozialdemokratie, einen Mann wie Julius Leber zu den ihren zählen zu dürfen. Es verlangt eine große Anstrengung, dem Maßstab dieses Mannes zu entsprechen, der kurz vor seiner Hinrichtung von sich und von seiner Arbeit hat sagen können: ‹Für eine so gute und gerechte Sache ist der Einsatz des eigenen Lebens der angemessene Preis. Wir haben getan, was in unserer Macht gestanden hat. Es ist nicht unser Verschulden, dass alles so und nicht anders ausgegangen ist.›»

Ich habe Hitler und die deutsche Katastrophe einmal die «Tragödie unseres Pflichtbewusstseins» genannt. Die übergroße Mehrheit der Deutschen hat den Gesetzen des Staates bis in den Untergang hinein Folge geleistet. Viele von denen, die daraus im Nachhinein einen moralischen Vorwurf ableiten wollen, haben ihrerseits niemals in anderen als freiheitlichen Verhältnissen gelebt. Ich bin deshalb dankbar für das Wort von Martin Buber, der 1953 gesagt hat: «Mein der Schwäche des Menschen kundiges Herz weigert sich, meinen Nächsten deswegen zu verdammen, weil er es nicht über sich vermocht hat, Märtyrer zu werden.»

*

Ende April 1945 geriet ich nach einem vierwöchigen Fußmarsch von den Ardennen Richtung Hamburg kurz vor dem Ziel in englische Gefangenschaft. Ich war bis in die Nähe von Soltau gekommen, als ich um die Mittagszeit von zwei Tommys im Schlaf überrascht wurde. Der Offizier, der das anschließende Verhör führte, fragte mich nach dem nahe gelegenen Bergen-Belsen aus. Ich hatte keine Ahnung. Erst aus späteren Zeitungsberichten und im Zusammenhang mit den Nürnberger Prozessen habe ich von Konzentrationslagern gehört. Bis Kriegsende stellte ich mir unter einem Konzentrationslager so etwas vor wie das alte Gefängnis in Hamburg-Fuhlsbüttel, in dem die Nazis einen besonderen Trakt als Konzentrationslager eingerichtet hatten. Dass man in Konzentrationslagern Menschen umbrachte und später im Osten Konzentrationslager eigens zu dem Zweck errichtet wurden, Menschen fabrikmäßig zu töten, war für mich unvorstellbar.

Ich gehöre einer Generation an, die im Dritten Reich aufwuchs und nicht merkte, was das Dritte Reich wirklich war. Hätte ich mir deshalb später Vorwürfe machen sollen? Die Heutigen wissen alles viel besser. Ich hatte einfach nur Angst, vor allem Angst, wegen meines halbjüdischen Vaters in Schwierigkeiten zu kommen. Außerdem musste ich mich wegen meines frechen Mundwerks vorsehen; eine falsche Bemerkung konnte schnell dazu führen, dass man von der Gestapo gegriffen wurde. Vielleicht wäre ich damals schon aufgefallen, wenn ich mich etwas genauer erkundigt hätte. Niemand hat später begreifen wollen, dass wir ahnungslos waren, nicht einmal meine Tochter. Auch Fritz Stern, mit dem ich mich darüber unterhalten habe, sagte, ich müsste doch irgendetwas gewusst haben. Er kann es noch immer nicht glauben. Aber es war so.

Die Engländer brachten mich mit dem nächsten Gefangenentransport zurück nach Belgien. Sie hatten mit so vielen Kriegsgefangenen nicht gerechnet, es herrschten chaotische Zustände. Zunächst hausten wir ein paar Wochen unter freiem Himmel, auf einer

Vancouver Public Library
Checkout Receipt

Dunbar Branch Library
Date (MM/DD/YY): 03/14/17 02:08PM
****

Was ich noch sagen wollte /
Item: 31383109535545
Call No.: GER 943.087 S35w
Due Date (MM/DD/YY): 04/04/17

Total: 1

Item(s) listed due by closing
on date shown.

For renewals, due dates, holds, fines
check your account at www.vpl.ca
or call Telemessaging at 604-257-3830

Check out VPL's reading lights
and discover great kid's books
in unexpected places across Vancouver.
VPL.ca/ReadingLights

Please retain this receipt

großen Wiese vor dem königlichen Schloss. Dann kamen wir in ein Offizierscamp. Wir waren so schwach, dass wir kaum auf zwei Beinen stehen konnten. Ich schlief in einem oberen Bett, und wenn ich morgens nach unten geklettert war und stand, fiel ich erst einmal wieder um. Die Engländer hatten Latrinen gebaut, aber die brauchten wir gar nicht.

Die Gefangenen begannen sich untereinander zu organisieren. Es ging nicht nur darum, das Lagerleben erträglicher zu gestalten und sich sinnvoll auf die Zeit nach der Entlassung vorzubereiten. Viele wollten jetzt verstehen, wie es zu der Katastrophe gekommen war. Auch ich wollte mehr über die Ursachen des Dritten Reiches, die Vorgeschichte und die Zusammenhänge erfahren. Zusammen mit den Mitgefangenen Hans Bohnenkamp und Oberst Grosan initiierte ich eine dreiteilige Vortragsreihe unter dem Titel «Verführtes Volk». Bohnenkamp war als christlicher Sozialist und Pädagoge vor 1933 aktiv gewesen; er sprach über die Arbeiterbewegung, Demokratie und Sozialismus. Ich berichtete über den Prozess vor dem Volksgerichtshof von Freisler am 7. September 1944, und Grosan schilderte die entwürdigenden Hinrichtungen der Widerstandskämpfer in Berlin-Plötzensee.

Diese drei Vorträge hatten zur Folge, dass die Mehrheit der Insassen des Lagers, in dem im Wesentlichen jüngere Offiziere untergebracht waren, uns in Acht und Bann getan hat. Sie haben es uns übel genommen, dass wir – wie sie es ausdrückten – das eigene Nest beschmutzten. Nestbeschmutzer, dieses Wort habe ich damals zum ersten Mal gehört; es hat sich mir eingeprägt, und es hat mir nicht gefallen. Zu Auseinandersetzungen mit uns kam es deswegen nicht. Auch wenn sicher ein paar überzeugte Nazis im Lager waren, so haben doch die meisten das Regime nicht verteidigt. Sie machten sich Sorgen, was aus ihnen werden würde, und sprachen ungern über das, was hinter ihnen lag.

Nicht geredet wurde über die Rassenpolitik der Nazis und über die organisierte Tötung von sechs Millionen Juden – jedenfalls erinnere ich mich nicht. Das war unter den Kriegsgefangenen kein Thema. Wer etwas wusste, hat wohl seinen Mund gehalten. Die Engländer haben uns nichts davon erzählt; auch die Filme von der Befreiung von Bergen-Belsen und Dachau wurden uns nicht vorgespielt. Die Engländer waren bei Weitem am besten vorbereitet auf ihre Rolle als Besatzungsmacht, aber anders als die USA zeigten sie wenig Interesse an unserer Re-education.

Die meisten Kriegsgefangenen wehrten sich gleichermaßen dagegen, als Faschisten bezeichnet zu werden. Es war ein Ausdruck der Kommunisten. Was sie darunter verstanden, wusste man allerdings nicht so genau. In ihrer Welt gab es offenbar nur Faschisten und Antifaschisten, und als faschistisch galt wohl alles, was nicht kommunistisch war. Als der sowjetische Generalsekretär Leonid Breschnew drei Jahrzehnte nach Kriegsende bei unserer ersten Begegnung von den deutschen Soldaten als «faschistischen Invasoren» sprach, habe ich ihm gesagt: «Wir waren keine Faschisten, wir waren deutsche Soldaten.»

60   Die Begegnung mit Hans Bohnenkamp war ein

Glücksfall für mich. Durch ihn erhielt ich erstmals eine Vorstellung von Demokratie. Vor allem brachte er mir die Idee des Sozialismus nahe: nicht den Kommunismus und nicht die Sozialdemokratie, sondern den Sozialismus im christlichen Sinn. In dem kleinen Gesprächskreis, der sich um Bohnenkamp bildete, fühlte ich mich menschlich und auch politisch wohl; die Diskussionen, die wir dort führten, wurden für mich wegweisend. Zum ersten Mal habe ich verstanden, warum wir Deutschen als Volk verführt worden waren.

Ich selbst war nie in Gefahr gewesen, Nazi zu werden. Das hatte nichts mit eigener Einsicht zu tun, sondern war schlicht auf die Tatsache zurückzuführen, dass mein Vater nach dem Gesetz Halbjude war. Mit diesem Bewusstsein lebte ich. Im Sommer 1941 kam zusätzlich das Bewusstsein hinzu, Soldat unter dem Befehl eines Mannes zu sein, der mit dem Angriff auf die Sowjetunion einen kriegsentscheidenden strategischen Irrtum begangen hatte. Als Hitler im Dezember den Oberbefehl über das Heer übernahm, schwante mir, dass er von Größenwahn befallen war. Andererseits hatte ich bei Kriegsende ganz und gar nicht das Gefühl, dass meine Jugend verpfuscht war. Gott sei Dank ist es vorbei, sagte ich mir, jetzt fängt das Leben an.

Bohnenkamp, Grosan, ein paar andere und ich – insgesamt vielleicht zwölf Kriegsgefangene – wurden im August 1945 entlassen, während die anderen nach Nordfrankreich ins Bergwerk mussten. Ich vermute, dass die Lagerleitung von unserer Vortragsreihe und den daraus entstehenden Misshelligkeiten Wind bekommen hatte und uns deshalb vorzeitig nach Hause schickte. Das Dokument, mit dem meine Entlassung aus englischer Gefangenschaft auf belgischem Boden bescheinigt wurde, ist kurioserweise in Bad Segeberg ausgestellt worden.

Die vielen Gespräche mit Hans Bohnenkamp haben mich veranlasst, bald nach meiner Heimkehr zu den Sozialdemokraten zu gehen und mich dort zu engagieren. Ich habe Wahlplakate geklebt und bin im Jahr darauf offiziell Mitglied geworden. Bohnenkamp hatte mich nicht zu einem Parteieintritt bewegen wollen. Aber die mir durch ihn vermittelten Ideale lenkten meine Schritte zwangsläufig zur Sozialdemokratie.

Politische Leitbilder

Es war die Schauspielerin und Intendantin Ida Ehre, die uns Hamburgern nach zwölf Jahren Nazidiktatur, als wir begannen, das ganze Ausmaß der deutschen Verbrechen und unsere Schande zu erkennen, erste Orientierung gab. Wir hausten in Kellern und Hütten, froren und hungerten. Was wir am meisten entbehrten, war jedoch geistige und moralische Führung. Niemand begriff das besser als die Prinzipalin der Hamburger Kammerspiele. Ida Ehre war Jüdin. Im Sommer 1939 hatte sie mit ihrem Mann, der nicht jüdisch war, Deutschland per Schiff Richtung Chile verlassen. Mitten auf dem Atlantik wurde das Schiff in den Heimathafen zurückbeordert. Mit viel Glück und weil ihr Mann zu ihr stand, kam Ida Ehre durch die Nazizeit. Ihre Mutter und ihre Schwester wurden im Konzentrationslager ermordet.

Ida Ehre war ausgebildete Schauspielerin und hatte an großen Bühnen gespielt, bevor die Nazis sie 1933 mit Berufsverbot belegten. Im Sommer 1945 kehrte sie in ihren alten Beruf zurück. Der bei der britischen Militärregierung für Theater zuständige Offizier, John

63

Ida Ehre, 1900–1989

Olden, empfing sie, und nach wenigen Sätzen in schlechtem Englisch stellten sie fest, dass sie beide aus Wien stammten. Dann wienerten sie miteinander, und Olden gab ihr die Lizenz für ein kleines Theater mit winziger Bühne in Hamburg-Rotherbaum. Das war die Stunde der Ida Ehre, jetzt konnte sie als Prinzipalin selber Theater machen. Unter ihrer Leitung entwickelten sich die Hamburger Kammerspiele binnen Kurzem zu einem Motor des künstlerischen und geistigen Neuanfangs – wirksam über Hamburg hinaus.

Für Ida Ehre war Theater, ganz im Sinne Schillers, eine moralische Anstalt. Auf die Bühne gehörten Stücke, die den Menschen die Augen öffneten. Mit Hilfe von John Olden schaffte sie es, die großen zeitgenössischen Dramatiker aus Frankreich, England und den USA aufzuführen, deren Namen wir in Deutschland bis dahin nie gehört hatten: Giraudoux, Anouilh, Sartre, Eliot, Tennessee Williams. Eine ähnliche Pionierleistung vollbrachte wenig später der Verleger Ernst Rowohlt, der mit seinen billigen, in hohen Auflagen gedruckten Rotationsromanen uns Deutsche an die moderne amerikanische, englische und französische Literatur heranführte, von der wir zwölf Jahre lang abgeschnitten gewesen waren.

Nichts brachte unser damaliges Lebensgefühl besser zum Ausdruck als der Titel von Thornton Wilders Erfolgsstück «Wir sind noch einmal davongekommen». Hilde Krahl spielte das Hausmädchen, das in der Eröffnungsszene den Satz sagt, der in meinem Freundeskreis zum geflügelten Wort wurde: «Der Herr ist immer noch nicht zu Haus ...» Ida Ehre selbst sah ich in vielen Rollen. Ich erinnere mich an ihre Hekuba in den «Troerinnen» des Euripides; die Schauspieler trugen sackleinene Kostüme, nicht weil das ein origineller Regieeinfall war, sondern weil es nichts anderes gab. Alles ganz primitiv, aber erstklassig. Und wie könnte ich die Uraufführung von Wolfgang Borcherts «Draußen vor der Tür» vergessen! Dieses Stück hat uns erschüttert, das war exakt unser eigenes Schicksal. So wie dieser Beckmann fühlten sich viele, die damals aus dem Krieg zurückkamen: wurzellos, unverstanden, ohne eigene Schuld in Schuld verstrickt.

Drei volle Jahre dauerte das Theaterwunder. Dann

kam im Juni 1948 die Währungsreform – und damit das Ende unserer Besuche in den Kammerspielen. Alles musste jetzt in D-Mark bezahlt werden, auch Theaterkarten. Für sein erstes Geld kaufte man Möbel, Anzüge und Kleider, ein Rundfunkgerät, alles Mögliche – nur für Theaterbesuche hatte man wenig übrig. Ida Ehre blieb Intendantin und hat weitergemacht, bald auch mit leichterer Kost, aber die Aufbruchsstimmung der unmittelbaren Nachkriegsjahre ließ sich nicht konservieren.

Nachdem wir uns in den sechziger Jahren angefreundet hatten, blieben wir uns bis zu ihrem Tod 1989 in herzlicher Zuneigung verbunden. Jede Begegnung mit dieser wunderbaren Frau war etwas Besonderes. Schon ihr Anblick konnte einen verzaubern: Ihr von tausend Fältchen zerfurchtes Gesicht strahlte, wenn sie mit Leidenschaft von etwas sprach, und besonders, wenn es ums Theater ging. Sie wirkte dann plötzlich ganz jung, und man hatte nur noch die Wahl, entweder ihrem Temperament oder ihrem Charme zu erliegen.

Zu meinem 70. Geburtstag schickte mir Ida Ehre in ihrer wunderbar klaren Handschrift einen Brief, der mich tief bewegte. Sie nannte mich darin ihren Traumbruder: «Was wären wir für ein Geschwisterpaar! Und schon fange ich an zu nörgeln – wo kommen wir denn hin – bei diesem Schnupftabakverbrauch – diese arme Nase! – Aber wie herrlich könnten wir miteinander lachen – ernste Gespräche führen – Haudegendiskussionen haben.» Das war Ida Ehre! Zwei Monate später starb sie in ihrem 89. Lebensjahr.

*

Ich habe dem Kapitel über meine politischen Anfänge
in der Hamburgischen SPD diese Absätze über Ida
Ehre vorangestellt, weil sie wohl am ehesten geeignet
sind, unsere damalige Stimmung zu illustrieren. Wir
waren noch einmal davongekommen – und lebten zugleich in dem Bewusstsein, dass das Leben für uns
gerade erst anfing. Allen äußeren Einschränkungen
wie Wohnungsnot, Kälte, Hunger und langen Ver-
kehrswegen zum Trotz ließen wir uns nicht entmuti-
gen. Was uns beflügelte, war die Gewissheit, dass wir
es weitgehend selbst in der Hand hatten, sowohl den
äußeren Wiederaufbau der Stadt als auch die neuen
demokratischen Grundlagen des Gemeinwesens mit-
zugestalten. In dieser Phase wurde mir die Hamburgische SPD zur geistigen Heimat, zu einem Ort der Wärme und Geborgenheit, an dem ich mich auch
menschlich wohlfühlte.

Drei Namen stehen heute in meiner Erinnerung
stellvertretend für die Kraft und den Optimismus der
Trümmerjahre: Max Brauer, der erste Bürgermeister
nach dem Krieg, Paul Nevermann, Senator für Bau-
und Wohnungswesen und später Brauers Nachfolger,
und der stellvertretende Vorsitzende der Hamburger
SPD, Gesundheitssenator Walter Schmedemann. Es
war eine Zeit, in der schon die Bereitstellung von
Blechhäusern, so genannten Nissenhütten, durch die
Besatzungsmacht als große Wohltat empfunden wurde. Vier Parteien teilten sich damals eine normale

Vierzimmerwohnung, vier Frauen kochten in derselben Küche.

Umso wichtiger, dass an der Spitze des Senats Männer standen, die Erfindungsreichtum mit Tatkraft verbanden. Ihre Leistung ging jedoch weit über die Koordinierung von Hilfsmaßnahmen, die Schaffung neuer Infrastruktur und das Auflegen von Wohnungsbauprogrammen hinaus. Ebenso energisch trieb Max Brauer den Aufbau eines demokratischen Gemeinwesens voran. Brauer kam aus der Arbeiterbewegung, hatte als Sozialdemokrat 1933 aus Deutschland fliehen müssen und war im Sommer 1946 aus dem amerikanischen Exil nach Hamburg zurückgekehrt. Sein Auftreten war sehr entschieden, sehr amerikanisch. Sein Pragmatismus hat uns Mut gemacht und gab uns das nötige Vertrauen. Begünstigt wurde das Aufbauwerk dadurch, dass im Sommer 1948, also noch vor Gründung der Bundesrepublik, zwei Ereignisse zeitgleich wirksam wurden: die Währungsreform und der Marshallplan. Der Marshallplan sorgte dafür, dass man für das neue Geld tatsächlich Bananen und andere Dinge kaufen konnte, die es bis dahin nicht gegeben hatte.

Die unmittelbaren Nachkriegsjahre wurden später gern als Stunde null bezeichnet. Der Begriff ist irreführend. Es war keineswegs so, dass die Deutschen nach dem totalen Zusammenbruch plötzlich wie aus einem bösen Traum erwacht wären. Viele alte Nazis blieben ja in ihren Ämtern. Das galt für Professoren, für Richter, für Staatsanwälte, es galt für die Ministerialbürokratie aller Art. Ich wusste, dass Karl Schiller, bei dem ich Vorlesungen zur Volkswirtschaft hörte und dann meine erste Stelle als Referent der Behörde für Wirtschaft und Verkehr antrat, ein Mitläufer gewesen war. Ich wusste, dass Kurt Georg Kiesinger ein Nutznießer des Systems gewesen war. Bei der Bildung der Großen Koalition 1966 haben wir die Kröte geschluckt und ihn als Kanzler akzeptiert, weil wir in unseren eigenen Reihen mit Herbert Wehner eine fast ebenso problematische Figur hatten. Es kursierten Vorwürfe aus seiner Zeit in Moskau, die aber weder damals noch später irgendwann belegt werden konnten. Ich habe mich dafür nicht interessiert.

Schlimm waren die Professoren, die in der Nazizeit Karriere gemacht hatten. Uns Studenten, fast ausschließlich ehemalige Soldaten und Kriegsheimkehrer, behandelten sie äußerst herablassend. Der Jurist, bei dem ich meine erste Vorlesung hörte, Einführung in das römische Recht, ein kleiner, weißhaariger Mann, ging die Stufen runter, und als er unten am Podium angekommen war und seine Tasche ausgepackt hatte, begrüßte er uns mit den Worten: «Meine Herren, ich bin erschüttert, Sie wieder in der Heimat zu sehen.» Das weiß ich noch wie heute.

Ich habe damals für mich eine Unterscheidung getroffen, an der ich auch später festgehalten habe. Ich habe unterschieden zwischen Leuten, die sich am Recht anderer vergangen haben, und Leuten, die sich gegenüber ihren Mitbürgern nichts haben zuschulden kommen lassen. Das war für mich der entscheidende Unterschied. Dass einer Nazi war, blieb in meinen Augen verzeihlich, solange er nicht anderen

Leuten tatsächlich Unrecht zugefügt hatte. Auch dass einer Kommunist gewesen ist, war für mich nicht verdammenswert, solange andere durch ihn nicht zu Schaden gekommen waren. Schwamm drüber, jeder hat das Recht auf einen Neuanfang. Ich bin dafür, dass Verbrecher angeklagt und verurteilt werden, aber Mitläufer sind keine Verbrecher.

Zu dieser Unterscheidung würde ich auch heute noch raten. Das haben wir nach der Wende 1989/90 grundlegend falsch gemacht. Es ist ein schwerer Fehler gewesen, dass alle Blockflöten – Mitglieder der so genannten Blockparteien – als bloße Mitläufer eingestuft und von ihren Parteikollegen im Westen mit offenen Armen aufgenommen wurden, während man SED-Mitglieder wie Aussätzige behandelte. Wer bei der Stasi war, bekam überhaupt keine zweite Chance. Der Bundesbeauftragte für die Unterlagen des Staatssicherheitsdienstes der ehemaligen DDR, wie die Stasibehörde offiziell genannt wird, war eine zweifelhafte Einrichtung. Die von manchen Jüngeren geteilte Unterstellung, Angehörige der Staatssicherheit müssen selbstverständlich Verbrecher gewesen sein, war jedenfalls abwegig.

Im Nachkriegsdeutschland kam ein strukturelles Problem hinzu. Die öffentliche Verwaltung in den Besatzungszonen lag in den Händen von Leuten, die bei den Nazis mehr oder weniger überzeugt mitgemacht hatten. Die Grundversorgung der Bevölkerung wäre zusammengebrochen, wenn man sie alle auf einen Schlag entlassen hätte. Die städtischen Wasserwerke, die Elektrizitätswerke, die Versorgungsämter, der öffentliche Nahverkehr, die Schulaufsicht – das alles musste ja funktionieren. Man brauchte Leute, die wussten, wie man so etwas macht, und das waren in den meisten Fällen diejenigen, die auch vorher schon auf den entsprechenden Posten gesessen hatten.

Das moralische Chaos, in dem sich Deutschland nach dem Zusammenbruch des Hitler-Regimes befand, war mindestens ebenso groß wie das politische und wirtschaftliche. Wer versprach in diesem Chaos Orientierung zu geben? Während des Krieges hatten Loki und ich geglaubt, dass die Kirchen beim Neuanfang eine wichtige Rolle spielen könnten. Meine Hoffnungen, dass von ihnen Impulse zur geistigen Erneuerung ausgehen würden, sollten jedoch schnell enttäuscht werden. Eine umso größere Rolle kam den politischen Parteien und ihren führenden Köpfen zu. Konrad Adenauer, Theodor Heuss und Kurt Schumacher sind die drei Namen, die in diesem Zusammenhang an erster Stelle genannt werden müssen.

Der SPD-Parteivorsitzende Kurt Schumacher hatte ein schreckliches Schicksal hinter sich und war durch jahrelange Haft in Zuchthäusern und Konzentrationslagern gesundheitlich schwer beschädigt. Er hatte nur noch einen Arm, und 1948 musste ihm auch ein Bein amputiert werden. Sichtbar gezeichnet, wurde er für mich zu einer zweifelsfreien moralischen Instanz. Außerdem war er ein glänzender Redner – für die damalige Zeit. Heute würde seine pathetische Diktion nicht mehr passen. Mir hat er charakterlich ungeheuer imponiert, obwohl ich seine mir nationalistisch erscheinende Politik von Anfang an für grundfalsch hielt.

Auch der Oberbürgermeister von Berlin, Ernst Reuter, machte großen Eindruck auf mich. Seine Rede vom September 1948, in der er die Völker der Welt dazu aufrief, die Blockade Berlins nicht hinzunehmen, hatte ihm große Sympathien bei den Amerikanern und Respekt bei den Russen verschafft, die den Gedanken, sich ganz Berlin einzuverleiben, schließlich aufgaben. Als ich im Herbst 1953 zum ersten Mal in den Bundestag einzog – Schumacher war im Jahr zuvor gestorben –, richteten viele in der SPD ihre Hoffnungen auf Ernst Reuter. Er kam damals nach Bonn und hielt eine eindrucksvolle Grundsatzrede. Was er sagte, wich in vielem von der offiziellen Linie der Partei ab und wirkte auf mich insbesondere in den außenpolitischen, aber auch in den sozialpolitischen und ökonomischen Akzentsetzungen wohltuend realistisch. Wenige Tage später war ich mit Loki auf der Lübecker Autobahn unterwegs, als wir im Autoradio die Nachricht vom Tod Ernst Reuters hörten. Ich war zutiefst erschüttert und musste den Wagen am Straßenrand anhalten.

Etwa um diese Zeit begann ich mich an jener Trias zu orientieren, die wenige Jahre später begann, die SPD inhaltlich zu reformieren: Fritz Erler, Carlo Schmid und Herbert Wehner. Erich Ollenhauer, der Nachfolger Schumachers im Parteivorsitz, gegen den sich die Reformer richteten, war ein anständiger Mensch, aber ein mittelmäßiger Politiker, der noch immer in den Verhältnissen von Weimar dachte. Während mich mit dem philosophisch und literarisch gebildeten Carlo Schmid menschliche Sympathie verband, standen in meinem Verhältnis zu Herbert Wehner gemeinsame politische Überzeugungen im Vordergrund. Wehner war derjenige, der letzten Endes den Mut hatte, die Missstände offen anzusprechen und die Öffnung der SPD zu einer Volkspartei durchzusetzen. Die SPD würde immer nur sagen, wogegen sie sei, sie müsse endlich auch einmal sagen, wofür sie stehe, hatte schon Ernst Reuter bemängelt, und da setzte Wehner an.

In meiner Beziehung zu Fritz Erler wirkte beides zusammen: menschliche Sympathie und gemeinsame Überzeugungen. Ihn würde ich als Einzigen ohne jede Einschränkung mein persönliches Vorbild nennen. Genau genommen war er mehr als ein Vorbild, er war für ein Jahrzehnt mein Mentor, derjenige, der am stärksten erzieherisch auf mich wirkte. Er war nur fünf Jahre älter als ich, gehörte aber einer anderen Generation an. Als die Nazis 1933 die Macht übernahmen, war er erst zwanzig Jahre alt, besaß aber bereits feste politische Grundüberzeugungen. Sieben Jahre Nazizuchthaus und Zwangsarbeit im Moor hatte er unbeschadet überstanden.

Erler war Autodidakt, ein Mann ohne Studium. Alles, was er im Kopf hatte, hatte er sich durch Lesen erworben, und er konnte es fabelhaft präsentieren. Auf seine Reden im Bundestag bereitete er sich sorgfältig vor, sprach dann aber anhand weniger Notizzettel weitgehend frei. Er war ein glänzender Debattenredner – auf Englisch übrigens genauso wie auf Deutsch –, und ich habe mir bei ihm eine Menge abgeguckt. Zu Erler konnte ich aufschauen. Ich hatte

Fritz Erler, 1913–1967

großen Respekt und würde ihm damals jederzeit den
Vortritt gelassen haben. Er gab mir seinerseits wichtige Hilfestellung und sorgte unter anderem dafür, dass
ich früh nach Amerika kam.

Erler und ich waren Mitglieder des Sicherheitsaus-
schusses des Deutschen Bundestages, der heute Ver-
teidigungsausschuss heißt. Weitere Mitglieder waren
Adolf Arndt und Karl Wienand von der SPD; die Regie-
rungsparteien waren unter anderem durch Richard
Jäger und Erich Mende vertreten. Das zentrale Thema
war die Gestaltung der Bundeswehr. Gegen den Widerstand Adenauers haben wir Anfang 1956 eine
Grundgesetzänderung durchgesetzt, die den Boden
schuf für eine moderne und demokratische Wehrge-

setzgebung. Wir haben ein Personalgutachtergesetz verabschiedet, mit dem man die schlimmsten Nazis aus der Bundeswehr entfernen konnte. Wir haben den Posten des Wehrbeauftragten geschaffen, eine Einrichtung, die der Sozialdemokrat Ernst Paul, der ebenfalls dem Sicherheitsausschuss angehörte, im schwedischen Exil kennengelernt hatte. Vor allem haben wir festgelegt, dass nicht der Bundeskanzler Oberbefehlshaber wird, sondern der Verteidigungsminister. Das war ein ganz wichtiger Punkt, den wir gemeinsam mit CDU/CSU und FDP durchsetzen konnten, gegen den Willen der Fraktionsführungen und gegen den Willen Adenauers, der selber Oberbefehlshaber sein wollte. Dass Adenauer die Wiederbewaffnung der Deutschen durchsetzte, konnten wir nicht verhindern. Aber wir sorgten dafür, dass diese Armee nach demokratischen Grundsätzen aufgebaut wurde.

Als im Herbst 1958 erstmals freiwillige Reserveübungen der Bundeswehr abgehalten wurden, wollte ich mit meiner Teilnahme unterstreichen, dass die SPD die Bundeswehr für politisch notwendig hielt und ihren Soldaten vertraute. Ein bisschen wollte ich die Bundeswehr auch von innen kennenlernen. Schon Wochen vorher kam es darüber zu einem Riesenwirbel. Da hat mich Fritz Erler zum ersten und einzigen Mal enttäuscht, weil er mich gegen die wütenden Angriffe aus den Reihen der Sozialdemokratie nicht verteidigte. Es hat mein späteres Verhältnis zu ihm beeinträchtigt.

Als ich 1961 aus dem Bundestag ausschied und nach Hamburg ging, habe ich Erler ein wenig aus den

Augen verloren, und als ich 1965 nach Bonn zurückkam, war der Fritz schon schwerkrank. Im Herbst 1966 übernahm ich von ihm zunächst kommissarisch und nach seinem Tod im Februar 1967 auch offiziell den Fraktionsvorsitz.

Loki

Jüngst bekam ich ein Manuskript über meine Frau zugeschickt. Eine ihrer ehemaligen Schülerinnen, inzwischen einige sechzig Jahre alt, hatte Erinnerungen an Loki aufgeschrieben. Es handelte sich um ein Kapitel aus einem Buch, das unter dem Titel «Lebenslotsen» erscheinen sollte, und ich wurde gebeten, ein Vorwort zu schreiben. Das habe ich auch getan. Aber mir war nicht ganz wohl dabei, denn mich störte das Wort «Lebenslotse». Die ehemalige Schülerin meiner Frau berichtete, dass sie mehrfach im Laufe ihres Lebens bei Loki Rat gesucht und gefunden habe. Insofern mochte der Ausdruck Lebenslotse in ihrem Fall zutreffend sein. Aber generell gilt: Vorbilder sind nur sehr selten Lebenslotsen.

Eine Vermittlung von Werten in Form theoretischer Unterrichtung ist nur eingeschränkt möglich. In der Regel bedürfen wir des persönlichen Beispiels, damit ethische Werte Eingang in unser Bewusstsein finden. Die praktische Umsetzung von Werten kann dazu führen, dass wir den Menschen, der uns diese Werte vorlebt und verkörpert, zu unserem Vorbild wählen. Das kann hilfreich sein in einem bestimmten Abschnitt unseres Lebens. Für die Dauer eines ganzen Lebens wird ein einziges Vorbild aber nicht reichen. Um das Bild vom Lotsen aufzugreifen: Wer in unbekannte Gewässer gerät, muss einen neuen Lotsen an Bord nehmen. Entscheidend ist das Bewusstsein der eigenen Verantwortung für die Folgen unseres Tuns. Kein Vorbild kann uns diese Verantwortung abnehmen.

Loki und ich waren mehr als 68 Jahre verheiratet. Eine so lange Strecke gemeinsam zu gehen, ist nur wenigen Menschen vergönnt. Die Dauer unserer Verbindung hat einen großen Reichtum an gemeinsamen Erfahrungen geschaffen. Für mich war Lokis absolute Zuverlässigkeit das Wichtigste. Ich konnte mich in jeder Situation auf sie verlassen. Ich zögere nicht zu sagen: Loki war der Mensch in meinem Leben, der mir am wichtigsten war. Als sie im Oktober 2010 starb, war ich völlig zerstört. Ruth Loah hat mich damals gerettet. Ohne diese langjährige Freundin, zu der ich seit über einem halben Jahrhundert ein vertrauensvolles, enges Verhältnis habe, hätte ich den Tod von Loki wahrscheinlich nicht überlebt.

Angefangen hat alles mit einem Kindergeburtstag. Meine Eltern hatten mir eine Freude machen wollen und entschieden, dass mein zehnter Geburtstag, der 23. Dezember 1928, am 21. Juni des folgenden Jahres noch einmal gefeiert werden sollte; das war der Geburtstag meines zweieinhalb Jahre jüngeren Bruders Wolfgang. So wurde ich zweimal beschenkt, was recht nützlich war, auch wenn die Geschenke nicht sehr üppig ausfielen. Ich durfte einige Freunde einladen.

Ich entschied mich für Bubi Hase, den etwa gleichaltrigen Nachbarssohn, für noch zwei andere und für meine Klassenkameradin Loki Glaser. Es gab ein Wettessen: Meine Mutter stellte eine große Schüssel mit Kirschen auf den Tisch, und wer am Schluss die meisten Kirschkerne zusammenhatte, der hatte gewonnen. Die meisten Kirschkerne hatte natürlich Loki. Sie litt zu Hause den größten Hunger auf Obst.

Am nächsten Tag musste ich einen langen Fußmarsch durch die Stadt machen. Denn Loki hatte ihre Baskenmütze bei uns liegen gelassen, und meine Mutter beauftragte mich, ihr die Mütze nach Hause zu bringen. Familie Glaser wohnte in der Baustraße in Borgfelde in einer so genannten «Terrasse», bei der die Hinterhäuser etwas niedriger sind als die Vorderhäuser. Die winzige Dreizimmerwohnung im Hinterhaus war düster – vier Meter entfernt stand das nächste Haus – und voller Menschen. Ich war entsetzt und dachte, das ist ungerecht. Zum ersten Mal habe ich begriffen, was Armut ist. Ein halbes Jahr später, Anfang 1930, brach die Weltwirtschaftskrise mit Gewalt über Deutschland herein, und Anfang 1932 gab es sechs Millionen Arbeitslose. Auch Lokis Vater, der als Elektriker auf einer großen Werft beschäftigt war, verlor seinen Arbeitsplatz.

Der soziale Unterschied zwischen Lokis Elternhaus und meinem ist mir bei jenem Besuch schlagartig klar geworden: Dies war wirkliches Elend. Andererseits war Armut für mich nichts Neues, denn die Großeltern Schmidt, die Adoptiveltern meines Vaters, waren genauso arm; mein Großvater konnte weder richtig lesen noch schreiben. Anders als meine Eltern, die keiner Partei angehörten, waren Lokis Eltern vorübergehend in die USPD eingetreten, hatten aber bald genug von den ewigen Querelen und wählten in den letzten Jahren der Weimarer Republik wahrscheinlich KPD.

Gleichheit und Gerechtigkeit gingen Loki über alles. 1934 bekamen wir eine neue Deutschlehrerin, Erna Stahl. Sie machte nicht nur einen interessanten Unterricht, sondern lud auch einmal in der Woche ausgewählte Schüler zu sich in die Wohnung ein, um mit ihnen gemeinsam Goethe und andere Dichter der deutschen Klassik zu lesen. Loki nahm Anstoß daran, dass Frau Stahl die Schüler zu diesen Leseabenden persönlich auswählte und dabei offenbar nach Sympathie entschied. Das fand Loki unerhört, weil undemokratisch, und um ein Haar hätte sie ihre eigene Teilnahme deshalb abgesagt. Einerseits war Frau Stahl eine elitär wirkende und wenig einnehmende Person. Andererseits war sie eine aufrechte Pädagogin, die schon durch ihre Stoffauswahl dem Regime verdächtig erscheinen musste; 1944 geriet sie vorübergehend in Haft.

1934 – die Nazis hatten inzwischen die Macht übernommen – betrat unser Geschichtslehrer Hans Roemer einmal die Klasse mit einem merkwürdigen Apparat. Er erzählte uns von verschiedenen Menschenrassen. Die nordische Rasse sei die wertvollste. Deshalb werde er jetzt jedem von uns mit diesem speziellen Instrument den Schädel vermessen. Als Ergebnis seiner Messungen stellte sich heraus: Ausgerechnet Loki, von der Herr Roemer meinte, sie sehe ihrer

Ponyfrisur wegen wie ein Chinese aus, hatte den «nordischsten» Schädel. Es war deutlich, dass Herr Roemer die Rassenlehre nicht sehr ernst nahm, sie schien ihn eher zu belustigen.

Vor der mittleren Reife, dem so genannten Einjährigen, bekamen Lokis Eltern von der Schulbehörde die Mitteilung, dass künftig kein Schulgeld mehr gezahlt werde. Da die Eltern ein anschließendes Studium nicht finanzieren konnten, erschien die weitere staatliche Förderung volkswirtschaftlich nutzlos. Loki sollte von der Schule genommen werden. Lokis Mutter schrieb daraufhin einen Brief an den Schulleiter. Herr Zindler ließ Loki zu sich kommen und versprach, sich für sie einzusetzen. Er wolle ihr jedoch zwei Ratschläge geben. Erstens müsse sie ihr Aussehen ändern, die Ponyfrisur passe ganz und gar nicht in die neue Zeit. Und zweitens empfehle er ihr, in den Bund Deutscher Mädel (BDM) einzutreten, die Jugendorganisation der Nazis für Mädchen. Beides hat sie befolgt.

Da Loki Geige und Bratsche spielte, kam sie zum BDM-Orchester. An die Leiterin des Orchesters und die wöchentlichen Proben, bei denen überwiegend Barockmusik gespielt wurde, erinnerte sich Loki ihr Leben lang gern. Zindler hat sich ihr gegenüber menschlich anständig verhalten und durchgesetzt, dass Loki das Abitur machen konnte. Die Schließung der Schule zu Ostern 1937 konnte er allerdings genauso wenig verhindern wie die Verlängerung der Schulzeit für Mädchen. Für ihr letztes Schuljahr musste Loki deshalb an die Klosterschule wechseln, wo sie ein halbes Jahr nach mir Abitur machte.

Loki und ich haben uns um diese Zeit aus den Augen verloren, aber Anfang 1941 nahmen wir wieder Kontakt auf. Und als mich Loki im Juli in Berlin besuchte, beschlossen wir zu heiraten, falls ich gesund aus Russland zurückkäme – den Gestellungsbefehl zur 1. Panzerdivision, leichte Flakabteilung, hatte ich bereits in der Tasche. Ich kam erstaunlich früh und unversehrt wieder, schon Anfang 1942. Ich hatte Loki den Vorschlag gemacht, dass wir uns kirchlich trauen lassen sollten, denn nach dem Krieg müsse die Moral wiederhergestellt werden, und dazu würden wir die Kirchen nötig haben. Loki war nicht einmal getauft. Sie musste theologische Nachhilfestunden nehmen, um getauft werden zu können und damit die Berechtigung zur kirchlichen Trauung zu erwerben.

Die kirchliche Trauung haben wir nach Hambergen verlegt, einen kleinen Ort nördlich von Bremen, wo Loki im Sommer 1939 ihren Landschuldienst verbracht hatte. Manche in unserem Freundes- und Bekanntenkreis und nicht zuletzt in Lokis Familie hielten unsere kirchliche Trauung für eine Provokation, deshalb wollten wir Aufsehen vermeiden. Als wir die kleine Kirche in Hambergen betraten, standen da Lokis ehemalige Schüler aufgereiht – eine gelungene Überraschung.

Im Juni 1944 brachte Loki einen Sohn zur Welt, der nach acht Monaten an Gehirnhautentzündung starb. Der Feldpostbrief, in dem Loki mir vom Tod des Kindes berichtete, war verloren gegangen; erst aus einem späteren Brief zog ich die Schlussfolgerung, dass der Junge gestorben sein musste. Es war ein schrecklicher Moment. Ich bat um Urlaub – ich war damals an der Westfront eingesetzt – und ging nach Hamburg, wo ich Loki traf. Gemeinsam machten wir uns auf den Weg nach Gut Schmetzdorf bei Bernau; im Herbst 1943, als meine Dienststelle von Berlin nach Bernau verlegt worden war, hatten wir uns dort eine bescheidene Unterkunft eingerichtet. Als wir am 1. März 1945 am Grab unseres Sohnes standen, brachen wir beide in Tränen aus.

Im Rückblick auf unser gemeinsames Leben erscheint es mir als ein besonderes Glück, dass Loki und ich in allen wichtigen Fragen weitgehend übereinstimmten. Wir brauchten nicht viele Worte, denn in den entscheidenden Punkten waren wir uns einig. Ich erwähne als Beispiel die Besetzung der Deutschen Botschaft in Stockholm im April 1975. Terroristen der RAF hatten das Gebäude besetzt, Geiseln genommen und den Militärattaché erschossen. Sie verlangten von der Bundesregierung die Freilassung ihrer Gesinnungsgenossen, die in deutschen Gefängnissen einsaßen, sonst würden sie alles in die Luft sprengen. Der schwedische Premierminister Olof Palme, mit dem ich befreundet war, rief mich an und fragte, wie wir jetzt vorgehen sollten. «Olof, ich tausche nicht aus», sagte ich zu ihm. «Du musst wissen, was du nach der Verfassung deines Landes und nach deinen Gesetzen tun musst oder nicht tun musst. Ich jedenfalls tausche nicht aus.» Er war darüber erstaunt und wohl ziemlich entsetzt.

Am späten Nachmittag oder frühen Abend dieses Tages sind Loki und ich durch den Park des Bundeskanzleramts gegangen und haben darüber geredet, ob es richtig war, was ich Olof Palme geantwortet hatte. Und dann kam zwischen uns die Frage auf, wie wir uns verhalten sollten, wenn wir selber als Geiseln genommen oder entführt werden würden. Mit einer solchen Möglichkeit musste man jeden Tag rechnen. Die RAF-Terroristen hatten sich sogar in der Nähe unseres Hauses in Hamburg eingenistet und Loki beim Einholen fotografiert. Das wussten wir damals nicht, aber wir stellten es uns in etwa zutreffend vor.

Für Loki und mich war klar: Im Falle einer Entführung lassen wir uns nicht austauschen. Wer von uns beiden die Idee hatte, weiß ich nicht mehr, aber wir beschlossen, eine entsprechende Verfügung zu hinterlegen. Noch am selben Abend habe ich den Kanzleramtschef Manfred Schüler beauftragt, ein solches «Testament» zu den Akten zu geben. Ein vergleichbares Dokument dürfte es in den politischen Archiven der Bundesrepublik vermutlich nicht geben: Der Bundeskanzler und seine Frau lehnen für den Fall ihrer Entführung durch Terroristen jeden Austausch ab.

Die vollkommene Übereinstimmung zwischen Loki und mir in solchen Fragen war für mich im Laufe der Jahre zu einer Selbstverständlichkeit geworden. Da ich wusste, wie Loki dachte, haben wir wenig über politische Entwicklungen oder anstehende Entscheidungen gesprochen; konkreten Rat habe ich bei ihr eher selten gesucht. Umso wichtiger war mir ihre Menschenkenntnis. Loki hatte ein Gespür für die charakterliche Anlage eines Menschen und durchschaute schnell, ob einer im Kern anständig und auf Dauer zu-

84

verlässig war. Meistens waren wir auch in dieser Hinsicht einer Meinung.

Wir waren uns so ähnlich, wie sich Mann und Frau ähnlich sein können. Müsste ich die Wesensunterschiede benennen, würde ich sagen, Loki war viel geduldiger als ich, und sie besaß die wunderbare Fähigkeit, sich in andere Menschen einzufühlen. Loki war ein nachsichtiger, großzügiger und warmherziger Mensch. Sie ging gern auf Menschen zu, konnte ihre Sympathie zeigen und hat immer ausgleichend gewirkt. Ich hingegen galt manchen Außenstehenden als arrogant und schroff. Loki hat sicher manchen Riss gekittet.

So haben wir uns ergänzt. Heute weiß ich, dass ich einen nicht unerheblichen Teil des öffentlichen Ansehens, das mir im Laufe der Zeit zugeflossen ist, Loki zu verdanken habe.

In unserer 68 Jahre währenden Ehe hat es ein einziges Mal etwas gegeben, was ein Außenstehender eine Krise nennen könnte. Ich hatte eine Beziehung zu einer anderen Frau. Es muss Ende der sechziger oder Anfang der siebziger Jahre gewesen sein, als Loki mir deswegen die Trennung angeboten hat. Ich war völlig fassungslos: Ich kann mich doch nicht von dir trennen. Es war in meinen Augen eine ganz und gar abwegige Idee – aber für Loki war es bitterer Ernst.

Es tut mir heute noch weh, wenn ich an jenen mehr als vier Jahrzehnte zurückliegenden Tag denke. Wahrscheinlich habe ich die Dramatik, die für Loki mit ihrem Schritt verbunden war, unterschätzt. Ich hatte ein tief empfundenes Schuldbewusstsein. Aber Loki hat mein völliges Unverständnis für ihr Angebot sogleich und zutreffend als Zeugnis meiner Treue zu ihr gewertet. Damit war die Ehekrise schon wieder aus der Welt, sie hat auch später zwischen uns keinerlei Rolle gespielt. Auf eine Frage von Reinhold Beckmann, was die Ehe mit mir für sie bedeute, hat Loki später einmal geantwortet: «Ich bin sein Zuhause. Das ist ein Schatz, wenn man für einen anderen Menschen das Zuhause ist.»

*

Lokis Wissen über Pflanzen und Blumen habe ich schon im Alter von zehn Jahren bewundert. Wir gingen in dieselbe Klasse, und sie zeigte mir, wie Gundermann aussieht und wie Günsel aussieht. Heute habe ich viele Pflanzennamen, die sie mir im Laufe der Zeit beigebracht hat, vergessen, letzthin fiel mir nicht einmal mehr ein, wie Schneeglöckchen heißen. Draußen im Garten blüht morgen oder übermorgen eine wasserspeichernde Pflanze auf, ein wunderbares Gewächs, aber den Namen weiß ich nicht mehr. Das kleine Gewächshaus, das Loki vor vielen Jahren bauen ließ, um die seltsamen Pflanzen beobachten zu können, die sie von ihren Expeditionen in alle Welt mitgebracht hat, kam nach ihrem Tod unter die Obhut des Botanischen Gartens.

Am Brahmsee, eine Autostunde nördlich von Hamburg, haben wir 1958 gemeinsam mit unseren Freunden Willi und Friedel Berkhan ein Grundstück erwor-

Loki Schmidt, 1919–2010

ben, auf das wir zwei kleine Ferienbungalows stellten. Rundum war alles Brachland, Sandboden. Der Landwirt, dem es gehörte, war froh, als er uns später knapp sieben Hektar verkaufen konnte. Loki hat diese scheinbare Ödnis sich selbst überlassen, nichts angepflanzt, nichts ausgerupft, nichts gewässert. Das bleibt so, hat sie beschlossen, und dann wollen wir mal sehen, was draus wird. Als Erstes kam der Ginster. Im Laufe der Jahre entstand eine Wildnis, in der sich die seltsamsten Einwanderer breitmachten: eine Esskastanie zum Beispiel, eine Traubenkirsche, Buchen,

Fichten und viele Birken. Heute haben manche Bäume eine Höhe von zwanzig Metern erreicht. Ab und zu bekomme ich von einem Nachbarn die Aufforderung, Bäume an der Grundstücksgrenze fällen zu lassen, weil sie seinen Wohnwagen beschmutzen.

Fauna und Flora auf unserem «Urwald» am Brahmsee stehen seit vielen Jahren unter wissenschaftlicher Aufsicht der Kieler Universität. Loki hatte das veranlasst. Regelmäßig kommen Studenten und registrieren den Bestand: Was gibt es an Vögeln, was gibt es an Pflanzen. Die Universität führt Buch und hat dort inzwischen mehr als dreißig Vogelarten registriert. Je mehr Gelände sich die Natur zurückerobert, desto häufiger kommen Rehe und Füchse und Marder.

Mit dem Brahmsee verbinde ich viele Erinnerungen an meine Frau – und an unsere Tochter Susanne, mit der wir manches Wochenende und die Schulferien dort verbracht haben. Aber auch die Erinnerung an Willi Berkhan hängt eng mit dem Brahmsee zusammen. Ich habe diesen Freund, den ich 1946 im SDS kennengelernt hatte, wie meinen älteren Bruder betrachtet. 1969 wurde er Staatssekretär im Verteidigungsministerium und war später zehn Jahre lang ein großartiger Wehrbeauftragter. Willi hatte ein ausgleichendes Wesen, war stets auf der Suche nach einem vernünftigen Kompromiss und verfügte über ein unerschöpfliches Reservoir an Humor. Wenn wir gemeinsam am Brahmsee waren, suchte ich oft seinen Rat. «Ich geh mal eben rüber zu Willi», sagte ich dann – und ich sagte es noch, als er schon tot war.

In den acht Jahren von 1953 bis 1961, in denen ich

als Bundestagsabgeordneter in Bonn war, sahen Loki und ich uns meist nur an den Wochenenden. Zu Beginn der Sitzungswoche fuhr ich nach Bonn und am Ende wieder zurück; das war damals noch ziemlich zeitaufwendig. 1961 wechselte ich in den Hamburger Senat.

Als ich Ende 1965 in die Bundestagsfraktion zurückkehrte, stellte sich bald wieder der alte Pendler-Rhythmus ein. 1969 wurde ich Verteidigungsminister, und damals beschlossen wir, dass Loki nach Bonn kommen sollte. Sie hatte ein starkes Pflichtbewusstsein. Der Verteidigungsminister muss in einem fort andere Verteidigungsminister begrüßen und hat zahlreiche öffentliche Verpflichtungen, bei denen auch das Erscheinen seiner Frau erwünscht ist. Meiner Stellung zuliebe beantragte Loki deshalb bei der Hamburger Schulbehörde ihre vorübergehende Beurlaubung. Als ich 1972 ins Finanzministerium wechselte, entfiel die Notwendigkeit der Repräsentation, aber inzwischen hatte der Hamburger Senat Lokis Beurlaubung nicht mehr verlängert und sie nach dreißig Jahren im Schuldienst mit einer kleinen Abfindung entlassen. Dieser Verwaltungsakt hat uns damals empört.

Während meiner Zeit auf der Hardthöhe hatte Loki den Entschluss gefasst, sich zur Krankenschwester ausbilden zu lassen. Sie hatte erfahren, dass im Ernstfall bei der Bundeswehr Tausende von Schwestern fehlten. Deshalb ließ sie sich jetzt beim Roten Kreuz zur Schwesternhelferin ausbilden und hat sogar bei Operationen assistiert.

89

Mit dem Einzug ins Bundeskanzleramt 1974 begann für Loki ein neuer Lebensabschnitt. Zwar hatte sie jetzt vielerlei Repräsentationspflichten zu übernehmen, aber zugleich legte sie von Anfang an Wert auf eigenständiges Tun. In ihrem Buch «Auf dem roten Teppich und fest auf der Erde» hat sie über die beiden Seiten ihres Lebens als Ehefrau des Bundeskanzlers in Gesprächen mit Dieter Buhl kurz vor ihrem Tod Auskunft gegeben.

Ein Familienleben hat es wegen meines Berufs immer nur sporadisch gegeben. Die Erziehung unserer Tochter hatte ganz in den Händen meiner Frau gelegen. Als Susanne 1979 nach London ging, war es Loki, die den Kontakt hielt und regelmäßig mit Susanne telefonierte. Die Deutsche Bank, für die Susanne damals tätig war, hatte ihr ursprünglich die Leitung der Filiale in Lüneburg angeboten. Dann überwogen jedoch die Bedenken, weil meine Tochter ständig von Sicherheitsbeamten umgeben war und man dies als eine den Bankkunden nicht zumutbare Beeinträchtigung empfand. Es war in der Hochphase des RAF-Terrorismus, und mit dem Wechsel nach England entging Susanne den damit verbundenen Einschränkungen.

Als ich Mitte der achtziger Jahre wieder anfing, Bücher zu schreiben, wurde Loki meine erste und wichtigste Gegenleserin. Die meisten meiner Bücher, die in den achtziger und neunziger Jahren erschienen sind, habe ich auf Gran Canaria geschrieben. Die ersten Male hat Loki mich begleitet. Sie war ihr Leben lang eine Frühaufsteherin gewesen, während ich immer spät ins Bett kam. Auf Gran Canaria habe ich nachts geschrieben, manchmal bis vier oder fünf Uhr in der Früh. Wenn ich ins Bett ging, stand Loki auf; dann gab ich ihr die neuen, mit der Hand geschriebenen Seiten und bat sie, sie zu lesen. Anschließend wurden die Seiten nach Hamburg gefaxt, dort abgetippt, und am Mittag konnte ich mich bereits an die Korrekturen machen.

Loki besaß ein gutes, fast fotografisches Gedächtnis für Ereignisse, an die ich mich manchmal nur dunkel erinnern konnte. Wenn mein Lektor an manchen Stellen eine gewisse Sprödigkeit des Textes beklagte und fehlende Anschaulichkeit anmahnte, sagte ich zu ihm: «Fragen Sie meine Frau!» Dann erzählte Loki, was alles sonst noch in den besagten Tagen passiert war, und so tauschten wir unsere teilweise sehr unterschiedlichen, aber immer sich ergänzenden Erinnerungen aus. Heute frage ich manchmal Ruth: «Ruth, wie war das damals?» Ruth Loah war von 1955 bis 1965 meine Sekretärin in Bonn und Hamburg gewesen; in den siebziger und achtziger Jahren arbeitete sie für mich erst in meinem Wahlkreis, dann bei der ZEIT. Je älter man wird, desto wichtiger sind solche gemeinsamen Ausflüge in die Vergangenheit.

*

So wie Loki sich dreißig Jahre lang voll und ganz mit ihrem Beruf als Volksschullehrerin identifiziert hatte, so leidenschaftlich widmete sie sich ab Mitte der siebziger Jahre dem Naturschutz. Aus dem 1976 von ihr gegründeten Kuratorium zum Schutze gefährdeter

Pflanzen ging später eine nach ihr benannte Stiftung hervor; sie vergibt einen jährlichen Umweltpreis für Naturschutz und benennt die Blume des Jahres. Als in den achtziger und neunziger Jahren die Welt von ihrem Engagement Kenntnis nahm und sie sich national wie international einen Namen machte, war ich stolz auf Loki. Von der Alexander-von-Humboldt-Medaille 1982 über den Ehrendoktor der Russischen Akademie der Wissenschaften 1997 bis zum Deutschen Umweltpreis der Deutschen Bundesstiftung Umwelt 2004 hat sie zahlreiche Auszeichnungen erhalten. Gegen Ende ihres Lebens – so sagte Henning Voscherau in seiner Trauerrede – war Loki «das Gewissen des Natur- und Pflanzenschutzes geworden». Zu ihrem zweiten Todestag wurde der Botanische Garten in Hamburg in Loki-Schmidt-Garten umbenannt.

Auf der Suche nach seltenen Pflanzen reiste Loki um die ganze Welt. Die meisten Expeditionen wurden zusammen mit Wissenschaftlern der Max-Planck-Gesellschaft organisiert. Lokis Reisekosten haben wir selber übernommen, meine Frau reiste kein einziges Mal auf Kosten des deutschen Staates. Ich erwähne das, weil eine solche Trennung zwischen privaten und öffentlichen Kosten bei Politikern heutzutage nicht mehr selbstverständlich zu sein scheint.

Als Botanikerin steckte Loki manchen Professor in die Tasche. Natürlich habe auch ich von ihren vielfältigen botanischen und biologischen Kenntnissen profitiert. Ich habe von ihr auch sonst vieles gelernt. 1985 unternahm Loki zum Beispiel eine Expedition in den Kaukasus; sie wollte die Standorte der Orchideen wiederfinden, die deutsche Wissenschaftler vor dem Ersten Weltkrieg dort entdeckt hatten.

Sechs Jahre zuvor ist sie in Peru gewesen, um sich an Ort und Stelle einen Eindruck von den Nazca-Linien zu verschaffen. Die rätselhaften Scharrbilder, so genannte Geoglyphen, die dort zwischen 800 und 600 vor Christus in die Wüste gezeichnet wurden, stellen Tiere dar; wegen ihrer enormen Größe – manche Linien verlaufen schnurgerade über eine Länge von bis zu zwanzig Kilometern – sind die Tiere jedoch nur aus einer gewissen Höhe als solche erkennbar. Die Funktion dieser mehrere hundert Quadratkilometer großen Hochebene ist bis heute umstritten. Loki besuchte Nazca zusammen mit Maria Reiche, einer gebürtigen Deutschen, die sich seit den vierziger Jahren wissenschaftlich intensiv mit den Geoglyphen beschäftigte und später dafür sorgte, dass die Linien auf die Welterbe-Liste der UNESCO kamen.

Wenn Loki von ihren Forschungsreisen zurückkehrte und erzählte, was sie gesehen und entdeckt hatte und welche neuen Zusammenhänge sich ihr erschlossen, war es, als wäre man dabei gewesen. Loki reiste mit einfachsten Mitteln, übernachtete im Zelt und nahm alle Strapazen auf sich, die mit solchen Expeditionen verbunden sind. Sie hat auf diese Weise praktisch die ganze Welt kennengelernt, Lateinamerika und Schwarzafrika, Australien und Südostasien, selbst die Antarktis. Mit ihrem Freund Reimar Lüst, der bis 1984 Präsident der Max-Planck-Gesellschaft war, dachte sie ständig über Projekte nach, die der Forschung neue Wege eröffnen konnten.

1996 musste Loki einmal für mich einspringen. Im Rahmen der während des Winterhalbjahrs sechsmal in unserem Haus tagenden Freitagsgesellschaft hatte ich einen Vortrag zugesagt, war aber verhindert. Loki war üblicherweise Gastgeberin des Abendessens, welches Vortrag und Diskussion voranging. Diesmal übernahm sie meinen Part und hielt einen Vortrag über die Entwicklung der Pflanzenwelt in Europa von der Eiszeit bis heute. (Dieser und ein weiterer Vortrag über Pflanzen an extremen Standorten sind später in den Protokollen der Freitagsgesellschaft erschienen.)

In ihren letzten Lebensjahren musste Loki sich einer Operation nach der anderen unterziehen. Am Schluss hat sie von innen ausgesehen wie ein technisches Konstrukt. Ich ließ sie nicht mehr gern allein, und wenn ich im ZEIT-Büro war oder unterwegs, habe ich sie oft angerufen. Gegen Ende ist sie zwei-, dreimal gestürzt; ich konnte sie nicht mehr aufheben und musste die Wache zu Hilfe rufen. Die Kraft verließ sie – und dann auch der Mut. Ende September 2010 brach sie sich den Fuß. Es war keine schwere Operation, aber Loki hat die Folgen nicht überstanden. In den letzten Wochen war sie bewusstlos. Ich bin jeden Abend nach oben in ihr Zimmer gegangen und habe unseren alten Hauspfiff gepfiffen; den hat sie meist verstanden und hat dann gelächelt.

Im Jahr 2006, als sie spürte, dass ihre Kräfte merklich nachließen, hatte Loki unseren Freund Henning Voscherau gefragt, ob sie bei ihm noch eine Bestellung aufgeben könne. Es sei ihr Wunsch, dass Voscherau die Rede bei ihrer Beerdigung halte. In den Tagen darauf setzte sie sich mit ihm zusammen und erzählte aus ihrem Leben, was ihr wichtig war. Die Nähe des Todes schreckte sie nicht.

Am 1. November 2010 kam Henning Voscherau der letzten Bitte meiner Frau bei der Trauerfeier in St. Michaelis nach: «Wir nehmen Abschied von einer großen Frau, der Hamburger Ehrenbürgerin Professorin Dr. h. c. Hannelore Schmidt. Von unserer Freundin Loki Schmidt, einer warmherzigen, bescheidenen, charakterstarken und klugen Frau von zu Herzen gehender norddeutsch-spröder Liebenswürdigkeit, zugleich von unsentimentaler Nüchternheit, immer ganz und gar geradeaus. Jahrzehntelang gab sie ein Beispiel und wurde so zum Vorbild. Und ihr war gegeben, die Zuneigung der Menschen zu gewinnen.» Es war eine mich tief bewegende Rede.

Im Frühjahr 2002 hat uns Sandra Maischberger einmal gefragt, wie Loki und ich denn unseren kurz bevorstehenden sechzigsten Hochzeitstag begehen würden. «Wir entfleuchen still und leise», hat Loki geantwortet, und ich habe ergänzt: «Der Tag an sich ist nicht so wichtig, aber sechzig Jahre, das ist eine ganz erstaunliche Periode, das soll erst mal einer nachmachen.» Dem will ich nichts hinzufügen.

Zur Rekreation des Gemüts

In der Beurteilung von Kunst waren Loki und ich uns einig. Schon als Fünfzehnjährige waren wir begeistert von Käthe Kollwitz, von Ernst Barlach, von den Brücke-Malern, vom Blauen Reiter. Auf der Grundlage unserer gemeinsamen Liebe zu den deutschen Expressionisten machten wir immer wieder neue Entdeckungen. Und wir haben beide viel und gern gelesen, weniger die so genannte schöne Literatur als vielmehr Bücher, die uns wegen unserer beruflichen Aufgaben interessierten. Wenn wir entspannen wollten, spielten wir Schach. Ich hatte Schachspielen früh gelernt und habe öfter gewonnen als Loki. Heute würde ich gegen sie wahrscheinlich verlieren.

Eine große Rolle in unserem Leben spielte die Musik. Loki hatte in ihrer Jugend Geigenunterricht gehabt und später Bratsche gespielt; ich bin eigentlich ein verhinderter Organist, der im Klavierspiel Ersatz fand. Es kann sein, dass sich unser Geschmack im Laufe des Lebens in einigen Punkten angeglichen hat. Aber die gemeinsame Basis unserer Liebe zur Musik war in den Jahren an der Lichtwarkschule gelegt worden, vor allem die Liebe zu Johann Sebastian Bach.

Loki und ich haben Bachs Musik in zwei Gruppen unterteilt: Kompositionen mit und Kompositionen ohne menschliche Stimme. Genauer gesagt, Stücke mit und Stücke ohne Text. Das ist zweifellos eine recht laienhafte Unterscheidung, aber sie war für uns wichtig.

Zur Musik kam ich durch mein Elternhaus. Meine Mutter war musikalisch begabt, und Mitglieder der Familie meiner Mutter versammelten sich regelmäßig bei uns zu Hause um das Klavier, um vierstimmig zu singen. Onkel Heinz Otto war ein Musiklehrer, er leitete diesen Singkreis. In diesem häuslichen Rahmen habe ich einige Jahre lang Madrigale, Motetten und Kantaten gesungen. Einen vierstimmigen Satz vom Blatt zu singen, ist nicht leicht – das beherrschen heute nicht mehr viele. Ein- oder zweimal hat Onkel Heinz uns die Goldberg-Variationen vorgespielt, und schon damals – ich war vielleicht zwölf oder dreizehn Jahre alt – empfand ich diese dreißig «Veränderungen» eines Themas als absoluten Höhepunkt polyphoner Musik.

Mein Vater blieb am Schreibtisch sitzen, wenn die anderen sangen. Er war eher unmusikalisch, war aber dafür, dass ich Klavierunterricht erhielt. Er war der Ansicht, dass das zu einer ordentlichen bürgerlichen Erziehung gehörte. Ich habe den Klavierunterricht zunächst als Last empfunden, weil ich deshalb endlos lang zu Fuß unterwegs war. Zu Hause musste ich dann vorspielen, was ich gelernt hatte. Ich empfand das als ziemlich lästig. Ich bin der Meinung, dass Eltern ihren Kindern zwar anbieten sollten, ein Instrument zu erlernen, aber sie sollten es nicht erzwingen. Wenn das Kind daran Spaß hat, sollten sie den Unterricht fördern, aber wenn es keinen Spaß hat, sollten sie nicht darauf bestehen.

An der Lichtwarkschule waren Musik und Kunst das eigentliche Leben, die anderen Fächer haben wir Schüler als nicht so wichtig angesehen. Wir haben viel musiziert und mit Begeisterung im Schulchor von Ernst Schütt gesungen. Einmal wählte ich als Jahresarbeit die Aufgabe, eine Vielzahl vorgegebener Melodien als vierstimmige Choräle zu setzen. Obwohl gelegentlich moderne Werke von Orff oder Hindemith aufgeführt wurden, stand an der Lichtwarkschule die Barockmusik im Mittelpunkt. Die Transparenz und Klarheit von Komponisten wie Schütz, Pachelbel, Buxtehude hat mich immer mehr angezogen als Klassik und Romantik. Telemann und Vivaldi waren meine Lieblingskomponisten. Über allen aber strahlte Bach. Ohne Übertreibung kann ich sagen: Ich bin mit Bach groß geworden.

Durch den Musikunterricht an der Lichtwarkschule wurde schließlich auch meine Freude am Klavierspiel geweckt. Sehr bald entdeckte ich jedoch, dass mich auch die Orgel faszinierte. Die Schule verfügte über eine von Hans Henny Jahnn, dem Reformator des Orgelbaus in Norddeutschland, überarbeitete Orgel, auf der noch heute gespielt wird. Später habe ich in Fischerhude auf der Dorforgel zum Gottesdienst gespielt – heimlich. Olga Bontjes, die Kantorin der

Johann Sebastian Bach,
1685–1750

Dorfkirche war, hat mich an den Spieltisch gesetzt und gesagt: «Mach mal!» Das war recht ungewohnt. Man sitzt mit dem Rücken zum Pastor und weiß gar nicht, wann man dran ist und wann man wieder aufhören muss. Deshalb guckt man in einen Spiegel. Wenn aber der Spiegel verdreht ist, kann man den Pastor nicht sehen – und mein Spiegel war verdreht.

Während des Krieges habe ich sodann Orgelunterricht genommen. Das scheint aus heutiger Sicht absurd, aber im Krieg war jede Ablenkung willkommen. Meine Dienststelle, die Lehrinspektion IV des Generals der Flakwaffe, lag in der Berliner Knesebeckstraße. Nach Dienstschluss fuhr ich zum nahe gelegenen

Klindworth-Scharwenka-Konservatorium, dessen Leiter, Walter Scharwenka, Orgelunterricht erteilte. Auf der Orgel muss man lediglich eine Stimme der Partitur mehr spielen als auf dem Klavier, nämlich die Stimme für die Pedale. Also habe ich mir die Stücke ausgesucht, bei denen man die Füße nicht allzu schnell wechseln musste.

Im Singkreis von Onkel Heinz und im Schulchor hatte ich die Chorwerke von Bach mit Begeisterung gesungen. Über die Texte habe ich mir keine Gedanken gemacht, ich habe sie nämlich nicht verstanden. Nach dem Krieg hörte ich von Mal zu Mal genauer hin, und irgendwann begannen mich die Texte zu irritieren. Heute stören sie mich. Selbst in der Matthäuspassion, für viele der Gipfel Bach'scher Kunst, stoße ich mich an dem Wortlaut, der da gesungen wird.

Man kann die Texte nicht einfach ignorieren oder so tun, als seien sie zeitbedingtes Beiwerk. Natürlich hat Bach vieles aufgrund seiner Stellung als Kantor der Thomaskirche komponieren müssen. Aber er war eben ein tiefgläubiger Mensch, und die Texte waren ihm wichtig. Musik – nicht nur Kirchenmusik, sondern alle Musik – sollte allein zur Ehre Gottes dienen. Deshalb schrieb er unter viele seiner Partituren, sobald er die Arbeit abgeschlossen hatte: *Soli Deo Gloria*. Die religiösen Fundamente, auf denen Bachs Werke sich erheben, sind nicht zu leugnen. Ich muss das akzeptieren.

Ich erinnere mich an ein Gespräch mit Karl Popper – auch er ein Bach-Verehrer. Ich wies ihn darauf hin, dass nicht alle Kompositionen Bachs zum Ruhme Gottes geschrieben seien, sondern dass er vieles auch zum Vergnügen gemacht habe, zu seinem eigenen und zum Vergnügen der Musiker, und nannte als Beispiel das Italienische Konzert. Popper wollte das nicht gelten lassen. Das Italienische Konzert sei in der Tat sehr schön und sehr lebendig, aber man dürfe sich nicht täuschen lassen. Auch mit Werken wie dem Italienischen Konzert habe Bach etwas ausdrücken und darstellen wollen; das Verantwortungsgefühl für die Kunst sei darin ebenso allgegenwärtig wie in seiner Kirchenmusik, auch sie gehörten in den Bereich der «objektiven Kunst».

Immer wieder im Laufe meines Lebens ist die Bach'sche Musik für mich eine Quelle inneren Friedens und innerer Gelassenheit gewesen. Musik, so sagte es Bach einmal, diene der Rekreation des Gemütes – modern gesprochen, der Verjüngung der Seele –, und in diesem Satz liegt mein Bach-Verständnis begründet. Die Bach'sche Musik bedeutet für mich in erster Linie Klarheit und Transparenz. In seiner Kontrapunktik erkenne ich ein Höchstmaß an Ordnung und zugleich die Überwindung des bloß Schematischen. Paul Hindemith hat das wunderbar zusammengefasst. Diese Musik sei «die Schau bis ans Ende der dem Menschen möglichen Vollkommenheit und die Erkenntnis des Weges, der dahin führt, das unentrinnbare, pflichtbewusste Erledigen des als notwendig Erkannten, das aber, um zur Vollkommenheit zu gelangen, schließlich über jede Notwendigkeit hinauswachsen muss».

Bach hat die Kontrapunktik wie kein anderer beherrscht. Er trieb sie bis an die Grenze. Er wusste, dass er mit dem «Wohltemperierten Klavier» etwas eigentlich nicht Zulässiges machte. Die Bezeichnung «wohltemperiert» enthält ja die Vorstellung, dass der Musiker alle Töne geschmeidiger macht, indem er sie in einem gleichbleibenden Abstand zueinander setzt. Heute empfinden wir ein auf einem wohltemperierten Klavier gespieltes Stück als völlig normal; ein Musiker der damaligen Zeit hat das keineswegs so empfunden. Würde man die Frequenzverhältnisse rein der Natur nach festlegen, dann würden irgendwann einzelne Intervalle anfangen, schräg zu klingen. Dass man sie durch alle Tonarten durchdekliniert und sie trotzdem harmonisch bleiben – wohltemperiert –, hat erstmals systematisch und konsequent Johann Sebastian Bach getan, und in diesem «Schummeln» besteht eine seiner großen Leistungen. Alle, die nach ihm kommen – von Haydn, Mozart, Beethoven bis hin zu Mahler, Strauss und Schönberg –, machen wohltemperierte Musik.

*

Während ich durch Elternhaus und Schule früh an die Musik herangeführt wurde, blieben meine Kenntnisse der europäischen Malerei lange Zeit begrenzt. An der Lichtwarkschule, unter Lokis Einfluss und angeregt durch die Maler, die ich in Fischerhude getroffen hatte, war ich mit dem deutschen Expressionismus groß geworden. Mein künstlerischer Horizont reichte zunächst aber nicht weiter als bis Caspar David Friedrich und William Turner und über die französischen

Impressionisten bis Vincent van Gogh. Das war ein insgesamt recht schmaler Ausschnitt, und ich habe nach dem Krieg Jahrzehnte gebraucht, meine Kenntnisse zu erweitern und die Lücken zu schließen.

Bis an mein Lebensende werde ich das tiefe Erstaunen nicht vergessen, das mich 1948 bei meinem ersten Besuch der National Gallery in London überkam. Ich war zwei oder drei Tage in London – vermutlich auf Einladung britischer Genossen, die ich auf der ersten internationalen Tagung des Sozialistischen Deutschen Studentenbunds (SDS) im April in Barsbüttel kennengelernt hatte. Ich wollte eigentlich zur Tate Gallery, um mir Turner anzuschauen, entschied mich auf dem Trafalgar Square aber spontan für die National Gallery. Ich erinnere mich an einen Saal voller Porträts aus vergangenen Jahrhunderten, ging von einem zum andern und stand plötzlich vor einem Werk der Moderne. Ein Schock!

Dieses Bild schien überhaupt nicht in den Saal zu passen; es sah eher aus, als sei es von einem Maler der Brücke oder des Blauen Reiters gemalt. Der Name des Künstlers war mir völlig unbekannt: Dominikos Theotokopoulos, genannt El Greco, offenbar ein Grieche. Meinem tiefen Erstaunen folgte alsbald Neugier, sodann Interesse und schließlich Bewunderung. Innerhalb einer Viertelstunde ergab sich eine Zuneigung zu einem der großen europäischen Maler, die bis heute angehalten hat – aber das habe ich damals mit knapp dreißig Jahren nicht geahnt.

Später erfuhr ich, dass gegen Ende des 19. Jahrhunderts mehrere Maler und Kunstwissenschaftler ein

El Greco, 1541–1614

ähnliches Erlebnis mit El Greco gehabt hatten wie
ich. Sowohl Picasso als auch Oskar Kokoschka und
Egon Schiele, später auch Marc Chagall haben sich
von El Greco zu eigenen Arbeiten anregen lassen. Ich
war also keineswegs der Erste, der durch ihn aus konventionellen Sehgewohnheiten herausgerissen wurde. Seine Modernität – die lang gezogenen Figuren,
die grellen Farben, die Betonung der Fläche statt des
Raums – ist mir aber nur bewusst geworden, weil ich
aufgrund meiner Liebe zu den Expressionisten die
Verwandtschaft erkannte. Mit Recht nennt man El
Greco einen Vorläufer des Expressionismus.

1541 auf Kreta geboren, kam der Künstler zunächst
nach Venedig, später nach Rom; 1577 landete er in

Madrid und kam von dort nach Toledo, wo er 1614 starb. Für mich ist er einer der ganz Großen. Was ich über sein Leben gelesen habe, insbesondere über seine Verbindung mit Inquisition und Gegenreformation, habe ich beiseitegeschoben. Dieses Wissen trägt in meinen Augen nicht dazu bei, seine Bilder besser zu verstehen. Stattdessen habe ich mir überall auf der Welt Werke El Grecos angesehen. In jeder Stadt, in die ich kam, fragte ich, ob es einen El Greco im Museum gibt, und dann ging ich hin. Das «Gewitter über Toledo» im New Yorker Metropolitan Museum ist mir besonders ans Herz gewachsen, übrigens sein einziges Landschaftsbild. Der Maler ist sehr frei mit der Topographie seiner geliebten spanischen Heimat umgegangen, im Ergebnis aber ist ihm etwas Einzigartiges gelungen: die Stadt und das Gewitter zu einer kosmischen Einheit zu verschmelzen.

Es war El Greco, der mir unmittelbar nach dem Krieg neue Räume der Kunst erschloss. Zugleich war es eine Laune des Zufalls, die mich an jenem Tag in die National Gallery geführt hatte. Es hätte durchaus auch ein anderer Maler sein können, aber weil es El Greco war, der mir die Augen für spanische und italienische Malerei öffnete, bin ich ihm bis heute treu geblieben. Die Heiligenbilder und Kardinalsporträts haben mich nie sonderlich interessiert. El Greco zur Seite stellen möchte ich jedoch seinen spanischen Landsmann Francisco Goya, der zweihundert Jahre später die Schrecken des Krieges überaus eindrücklich festhielt und mit seinen großartigen «Caprichos» neue Wege der Grafik beschritt.

Von richtigen und falschen Vorbildern

Als ich 1966 in der Fernsehsendung «Zur Person» von Günter Gaus nach meinen Vorbildern gefragt wurde, antwortete ich spontan: Thomas Jefferson, Papst Johannes XXIII. und John F. Kennedy. Ich war damals 47 Jahre alt; inzwischen bin ich doppelt so alt. Aber sowenig ich heute erklären kann, warum ich diese drei Personen nannte – ich hätte ebenso gut drei andere nennen können –, so wenig Veranlassung habe ich, mich von meiner damaligen Auswahl zu distanzieren. Denn für jeden der drei Genannten gab es gute Gründe.

Ich fange mit Kennedy an, den ich auch heute noch nennen würde, obwohl wir inzwischen wissen, dass er derjenige war, der den Anfang gelegt hat zum Krieg in Vietnam. Ausschlaggebend für meine Bewunderung Kennedys war und ist die Tatsache, dass er die Kuba-Krise in glänzender Weise behandelt hat, und zwar so, dass die Russen sich zurückziehen konnten, ohne einen Gesichtsverlust hinnehmen zu müssen. Ein Jahr zuvor, beim Berliner Mauerbau im August 1961, haben die Amerikaner nicht reagiert. Das

107

war richtig, denn der Mauerbau war kein Verstoß gegen das damals geltende Recht. Kennedy hat sich nicht provozieren lassen. Im Jahr darauf kam die Kuba-Krise, und die wurde von ihm exzellent gemanagt. Wahrscheinlich sollte man besser sagen, von den beiden Kennedys, denn der damals noch ziemlich junge Bobby Kennedy, der später ebenso wie sein Bruder umgebracht wurde, war maßgeblich daran beteiligt. Ich würde Kennedy wegen dieser Doppelleistung, der Nichtreaktion auf den Mauerbau und der souveränen Bewältigung der Kuba-Krise, einen Staatsmann nennen.

In den entscheidenden Tagen der Kuba-Krise im Oktober 1962 soll Kennedy das gerade erschienene Buch von Barbara Tuchman über den Ausbruch des Ersten Weltkrieges gelesen haben. Ich halte das für wahrscheinlich – ich habe es damals auch gelesen –, aber dass die Lektüre von «The Guns of August» einen Einfluss auf seine Entscheidungen gehabt hätte, wie kolportiert wird, glaube ich nicht. Die Vorstellung, der Präsident liest vor dem Schlafengehen einige Seiten über die Juli-Krise 1914 und entwickelt daraus die Richtlinien seiner Politik gegenüber Chruschtschow, erscheint mir als ziemlich abenteuerlich. Geschichte wiederholt sich nicht – deshalb meine generelle Skepsis gegenüber historischen Vorbildern.

Die Deutschen hatten von Anfang an ein positives Bild von Kennedy, und dies hat sich bis heute gehalten. Er besaß zweifellos eine große Ausstrahlung. Für mich zählt er zu jenen Charismatikern, die ich gelten lassen will. Sein Satz «Frage nicht, was dein Land für dich tun kann, sondern frage, was du für dein Land tun kannst», hat mich begeistert, ich habe ihn häufig zitiert. Als Person hat mich Kennedy nicht interessiert, und für seinen angeblich neuen Politikstil war ich eher unempfänglich. Schöne Reden halten viele – auch mancher seiner Nachfolger hat schöne Reden gehalten –, aber sie bleiben ziemlich wertlos, wenn keine Taten folgen.

Papst Johannes XXIII. vorbildlich zu nennen, war Mitte der sechziger Jahre nichts Ungewöhnliches. Im Dezember 1965 war nach drei Jahren das Zweite Vatikanische Konzil zu Ende gegangen, mit dem Menschen auf der ganzen Welt die größten Hoffnungen verbunden hatten. Leider blieben die tatsächlichen Ergebnisse weit hinter den Erwartungen zurück. Gleichwohl war die Einberufung eines Konzils ein wunderbarer Schritt des Papstes. Und er war ein toleranter Papst, seine Toleranz hat mich ganz besonders angezogen.

In der ersten Hälfte der sechziger Jahre gehörten sowohl Johannes XXIII. als auch Präsident Kennedy zu den großen Hoffnungsträgern. Nach seiner Ermordung 1963 wurde Kennedy von manchen zum Idol eines neuen Politikstils erklärt, und die Popularität von Johannes XXIII. überstrahlte noch lange die seiner Nachfolger. Dass ich diese beiden unter meinen Vorbildern nannte, war aus damaliger Sicht also wenig überraschend. Umso mehr konnte meine Berufung auf den dritten Präsidenten der Vereinigten Staaten, Thomas Jefferson, überraschen.

Ich hatte gerade begonnen, mich etwas eingehender mit der Geschichte der amerikanischen Unabhängigkeit zu befassen. Die Generation der so genannten Gründerväter interessierte mich. Es waren Männer, die den Geist der europäischen Aufklärung in sich trugen und aus diesem Geist heraus nach zweitausend Jahren die Demokratie neu erfanden. Was die Verfasser der «Federal Papers» zu Papier brachten, bestimmt unsere Vorstellungen von Demokratie bis heute.

Unter den vielen außergewöhnlichen Männern, die 1776 dreizehn britische Kolonien an der amerikanischen Ostküste in die Unabhängigkeit führten, war Thomas Jefferson (1743–1826) für mich der faszinierendste. Jefferson gilt als der eigentliche Verfasser der Unabhängigkeitserklärung. Man betrachte es als «self-evident», heißt es in deren Präambel, dass alle Menschen gleich seien. Zu ihren unveräußerlichen Rechten zählten «Leben, Freiheit und das Streben nach Glück». Um diese Rechte auf Dauer zu gewährleisten, würden Regierungen eingesetzt; deren Legitimation beruhe einzig und allein auf der Zustimmung der Regierten. Die in der Präambel der Unabhängigkeitserklärung festgeschriebene Begründung der allgemeinen Menschenrechte ging 1789 ein in die Erklärung der Menschen- und Bürgerrechte durch die Französische Revolution. Thomas Jefferson, der sich damals als Diplomat in Paris aufhielt, hatte daran mitgewirkt.

Noch aus einem zweiten Grund gehört Jefferson für mich zu den überragenden Figuren der amerikanischen Geschichte. Er war nicht nur einer der führen-

Thomas Jefferson,
1743–1826

den Theoretiker der Unabhängigkeit, sondern ebenso ein klug und vorausschauend handelnder Pragmatiker. 1803 kaufte er als Präsident der USA im «Louisiana Purchase» den Franzosen das gesamte Gebiet zwischen dem Mississippi und den Rocky Mountains ab und verdoppelte damit das Territorium der Vereinigten Staaten. Es gibt in der Weltgeschichte keinen zweiten Mann, der das Gebiet seines Staates ohne Krieg verdoppelt hat.

Ein Jahr nach dem Kauf organisierte Jefferson eine Expedition, die das neue Land erkunden und bis zur Pazifikküste vorstoßen sollte. Die riesigen Gebiete entlang des Arkansas und des Missouri waren von Weißen unbewohnt; nur vereinzelt hatten sich Trapper und Pelzhändler bis hierher vorgewagt. Die Expedition hatte den Auftrag, das Land zu kartographieren, die Pflanzen- und Tierwelt zu verzeichnen – und die indigenen Indianer zu studieren. Die gewaltsame Umsiedlung und Ausrottung der Indianer jenseits des Mississippi setzte erst nach Jeffersons Tod ein, das Problem muss ihm jedoch bewusst gewesen sein. Schließlich waren an der Ostküste viele Ureinwohner bereits vor Gründung der USA in eigenen Reservaten zusammengeführt worden.

Mich beschäftigt diese Frage auch deshalb, weil Jefferson ein Liebesverhältnis mit einer schwarzen Sklavin unterhielt und mit dieser auch Kinder zeugte. Einerseits lehnte er die Sklaverei ab und befürwortete die Emanzipation, andererseits schien es ihm offenbar selbstverständlich, Sklaven zu halten. Ich habe diese Widersprüche mit Verwunderung zur Kenntnis genommen. Für die Schwarzen galten die Menschenrechte ebenso wenig wie für die Indianer. Viele Amerikaner sind bei der Auslegung ihrer Geschichte noch heute sehr großzügig.

Der «Louisiana Purchase» wurde für die künftige Ausrichtung der amerikanischen Außenpolitik von großer Bedeutung. James Monroe, der 1803 in Paris den Vertrag über den Verkauf von Louisiana ausgehandelt hatte, formulierte zwanzig Jahre später als Präsident die so genannte «Monroe-Doktrin». In den Konflikten der europäischen Mächte untereinander hätten die Vereinigten Staaten niemals Partei ergriffen, sagte er in einer Rede vor beiden Häusern, eine solche Einmischung entspräche auch in Zukunft nicht den amerikanischen Interessen. Sollte eine der europäischen Mächte jedoch ihrerseits den Versuch unternehmen, ihre Herrschaft auf die westliche Hemisphäre auszudehnen, werde man dies als eine Bedrohung des Friedens und der Sicherheit der Vereinigten Staaten ansehen.

Die weitere Ausdehnung der USA Richtung Westen hatte politisch Vorrang, und sie sollte möglichst konfliktfrei erfolgen. 1846 kam es wegen Texas zum Krieg mit Mexiko. Er endete 1848 mit einem Vertrag, in dem die USA zum gleichen Preis, den sie seinerzeit den Franzosen für Louisiana bezahlt hatten – 15 Millionen Dollar –, noch einmal riesige Gebiete einschließlich Kaliforniens erwarben. Ich bin mir heute nicht sicher, wie man den Prozess der Ost-West-Ausdehnung der USA zwischen 1803 und 1848 bezeichnen soll: als einigermaßen friedliche Expansion oder als frühe Form des Imperialismus. Jefferson hat die Fundamente gelegt. Ich bezweifle allerdings, dass ihm die späteren Konsequenzen seiner Politik bewusst gewesen sind.

*

Die Suche nach einem Vorbild entspringt dem Bedürfnis des Menschen nach Orientierung. Nicht unbedingt dem Bedürfnis nach Orientierung an einer höheren Wahrheit, aber doch dem Wunsch nach praktischer Orientierung. Nach Vorbildern zu suchen wäre demnach Teil des Orientierungswissens – so nennen die Philosophen das Wissen, das man benötigt, um sich einen ersten Überblick zu verschaffen. Aber brauchen Menschen tatsächlich Vorbilder, um sich im Leben zurechtzufinden? Sind sie, zumal in der Kindheit und Jugend, wirklich auf Vorbilder angewiesen?

Vor mehr als vierzig Jahren hat Siegfried Lenz auf die ihm eigene, untergründig ironische Weise sich dieser Frage angenommen und unter dem Titel «Das Vorbild» eine Art pädagogischen Schelmenroman veröffentlicht: Anfang der siebziger Jahre treffen sich in Hamburg drei Sachverständige, um im Auftrag eines Arbeitskreises der Kultusministerkonferenz ein repräsentatives Lesebuch für Deutschland zusammenzustellen. Die drei Experten überbieten sich gegenseitig in immer abstruseren Theorien darüber, welche Menschen als Vorbilder taugen und wozu Vorbilder aufgestellt werden sollen. Valentin Pundt, alter Pädagoge konservativer Prägung, stimmt zu, dass man «Vorbilder auf den Speicher der Vergangenheit schickt, wenn sie keiner verbindlichen Erfahrung mehr entsprechen». Aber «in Verruf bringen, bloßstellen, vom Sockel heben, zur Strecke bringen», das sei auch keine Lösung. Sein Gegenspieler mit Namen Janpeter Heller vertritt den Typ des progressiven Bilderstürmers und findet schon den Begriff Vorbild fragwürdig. «Wenn er ‹Vorbild› höre, sei er schon versucht, den Blick zu heben, eine Art Hab-Acht-Stellung einzunehmen. Horizontaler, alles muss horizontaler werden, und das heißt: irdischer.» In Hellers Augen haben sich bisher noch alle Vorbilder «bei genauem Abklopfen als breitärschige Pappkameraden der Erziehung» erwiesen. Ein Vorbild diene dazu, beharrt Pundt, «die kritischen Fähigkeiten zu entwickeln ... das pädagogisch sinnträchtige Stichwort heißt: Selbstversetzung.

Wir versetzen uns rigoros in den anderen und erfahren uns selbst.» Und er bekräftigt: «Ein Vorbild verweist darauf, dass wir etwas nötig haben. Dass etwas zu tun ist. Dass die Welt keine vollendete Tatsache, sondern veränderbar ist.»

Wie gern hätte ich diese Seiten noch einmal mit meinem Freund Siggi diskutiert. Er hat die Fertigstellung dieses Manuskripts nicht mehr erlebt, er starb im Alter von 88 Jahren am 7. Oktober 2014. Ich hielt die Trauerrede, eine letzte Pflicht gegenüber dem toten Freund, eine Pflicht, der ich in den vergangenen Jahren sehr oft nachkommen musste. Wer so alt wird wie ich, dem sterben rechts und links die Freunde weg. Siggi hat sich selbst einen Schriftsteller genannt, so sagte ich in meiner Rede, «aber hinter dem Schriftsteller blieb ein Philosoph verborgen – und in dem Philosophen steckte ein stringenter Moralist. Er blieb – ähnlich wie der Däne Hans Christian Andersen – leise mit seiner Moral. Er drängte den Lesern seine Moral nicht auf. Man kann sie annehmen, muss es aber nicht. Für Loki und mich war Siegfried Lenz der Ombudsmann des menschlichen Anstands.»

Lenz hätte mir sicher zugestimmt, dass es schwer ist, über Vorbilder zu reden. Wenn zwei Menschen sich auf ein gemeinsames Vorbild verständigen, meinen sie noch lange nicht dasselbe. Jeder Mensch identifiziert sich ein Stück weit mit seinem Vorbild. Deshalb sagt die Wahl eines Vorbildes oft mehr aus über den, der sich dieses Vorbild wählt, als über das Vorbild selbst. So hätte Siegfried Lenz wohl argumentiert. Ich vermisse das Gespräch mit ihm sehr.

*

Die zwölf Jahre Nationalsozialismus haben bei uns
Deutschen zu Recht eine starke Abneigung gegen falsche Vorbilder bewirkt. Ich erinnere an die «Ahnenga-
lerie» der Nazis, die Hitler in eine Reihe stellten mit
Friedrich II. von Preußen, mit Hindenburg und Bismarck. Von Hitler sind die Deutschen zweifellos ku-
riert. Aber auch von Preußen? Die Verehrung für Friedrich II. und Bismarck scheint in breiten Kreisen
ungebrochen zu sein.

Der preußische Gehorsam war bis weit in das
18. Jahrhundert hinein Kadavergehorsam. Alle hatten
zu parieren, insbesondere das Offizierkorps. Dann
dringt die Aufklärung vor und macht aus Friedrich,
dem jugendlichen Thronfolger, einen Mann, der prinzipiell für Gerechtigkeit eintritt und sich dagegen
wehrt, seine Untertanen zu drangsalieren. Er schreibt
einen Antimachiavell. Aber nur wenige Jahre später
entpuppt er sich als gelehriger Schüler eben dieses
Machiavellismus und führt ununterbrochen Krieg.
Nicht anders als andere dynastische Herrscher seiner
Zeit versucht er, sich sämtliche Gebiete einzuverleiben, deren er habhaft werden kann, und dies einzig
und allein zu dem Zweck, den Besitz des Hauses Hohenzollern zu mehren. Seine erste Niederlage im Sie-
benjährigen Krieg vor Augen, geht er auf das Schlacht-
feld und sagt zu seinen Soldaten: «Kerls, wollt ihr ewig
leben?»

Alles in allem war Friedrich II. von Preußen eine

gespaltene Person, mit einigen anerkennenswerten Zügen in der ersten Hälfte seines Lebens und sehr problematischen in der zweiten. Friedrich-Verehrer erinnern daran, dass er sich selbst den ersten Diener seines Staates nannte. Pflichterfüllung scheint mir aber kein besonderes Verdienst dieses Herrschers zu sein. Auch den Begriff Staatsräson, der im Zusammenhang mit Preußen oft fällt, halte ich für problematisch. Ich würde dieses Wort nicht verwenden, es ist viel Missbrauch damit getrieben worden. Es stammt aus der Zeit des Absolutismus, es passt auf den Soldatenkönig, auf Friedrich II., aber nicht mehr auf Weimar und schon gar nicht auf Hitler. Ein Hanseat oder ein Badener würden das Wort nicht gebraucht haben. Es unterstellt, dass dem Staat eine eigene Vernunft innewohnt und dass sich sämtliche Einzelinteressen seiner Bürger dieser Vernunft unterzuordnen haben. Nach der Entführung und Ermordung des Arbeitgeberpräsidenten Hanns Martin Schleyer wurde mir vorgehalten, ich hätte seinen Tod aus Gründen der «Staatsräson» in Kauf genommen. Dagegen habe ich mich verwahrt. Es ging nicht um eine Machtdemonstration des Staates. Mir widerstrebt die hegelianische Überhöhung des Staates, die so tut, als sei der Staat um seiner selbst willen da. Ich ziehe die Worte Allgemeinwohl oder öffentliches Wohl vor, sie sind zutreffender.

Mit Bismarck verhält es sich nicht sehr viel anders als mit Friedrich II., auch er ist ein falsches Vorbild. Erst ein Krieg gegen die Dänen gemeinsam mit den Österreichern, ein paar Jahre später ein Krieg gegen

117

die Österreicher, wieder ein paar Jahre später ein Krieg gegen die Franzosen – alles im Laufe eines Jahrzehntes und anschließend die Überhöhung als Friedensfürst! Er hatte nach 1871 zweifellos Verdienste um den Frieden in Europa, er hatte auch politischen Überblick. Gleichwohl hat er mich nicht sonderlich beeindruckt. Er hat nicht im Interesse der Deutschen gehandelt, sondern im Interesse der Dynastie der Hohenzollern, wobei er auf andere deutsche Dynastien keine Rücksicht nahm. Für Bismarck war die kleindeutsche Lösung, die Österreich ausschloss, der bequemere Weg. Als ich mich später etwas eingehender mit der Bismarck'schen Sozialgesetzgebung beschäftigt habe, stellte ich fest, dass der eigentliche Zweck der Übung war, den Sozialdemokraten das Wasser abzugraben. Mitleid mit den kleinen Leuten war ihm fremd.

Vielen Zeitgenossen erschien das Einigungswerk von 1871 als spätes Wunder: Endlich trat man gleichberechtigt in den Kreis der anderen europäischen Nationen. Die Deutschen hatten sich über Jahrhunderte hinweg mit dem Nationenbegriff schwergetan. Die souveränen deutschen Fürsten hatten an einer Stärkung der Zentralmacht ebenso wenig Interesse wie die europäischen Großmächte, die das Machtvakuum in der Mitte Europas in ihrem Sinne beeinflussen konnten. Deutschland war ein geographischer Begriff, definiert als der Raum der deutschen Sprache, zu dem selbstverständlich auch Österreich gehörte. Der erste Versuch einer nationalen Selbstfindung war das Hambacher Fest 1832, der zweite Versuch war die Revolution von 1848 gewesen; beide Male kam die Nationalbewegung, die zu dieser Zeit noch von Liberalen angeführt wurde, über Anfangserfolge nicht hinaus. Vor diesem Hintergrund war es nicht verwunderlich, dass die von Bismarck schließlich zustande gebrachte nationale Einigung von der Mehrheit der Deutschen als große Erlösung gesehen wurde.

Man darf sich davon jedoch nicht blenden lassen. Bismarck war ein Mensch voller Widersprüche. Wegen der negativen Seiten seiner Persönlichkeit komme ich zu dem Urteil: Dieser Mann taugt nicht zum Vorbild. Meine Abneigung hängt zweifellos auch mit der übertriebenen Bismarck-Verehrung in der Generation meiner Großväter zusammen – überall riesige Bismarck-Denkmäler! Als ich auf der Volksschule war, wurde noch der Sedantag zur Erinnerung an den Sieg von 1870 gefeiert. Nicht zuletzt aufgrund solcher Kontinuitäten wurde Bismarck in meinen Augen zu einer für den Verlauf der jüngsten deutschen Geschichte sehr problematischen Figur.

Bei anderen bin ich großzügiger und bereit, ihre weniger angenehmen Charakterzüge nicht so wichtig zu nehmen und über dunkle Seiten hinwegzusehen. Ein solcher Fall ist Winston Churchill. Churchill gehört in die Reihe der großen Europäer, und als solcher hat er mindestens zweimal eine Schlüsselrolle gespielt. Als er im Mai 1940 die Regierung übernahm, setzte er ein unmissverständliches Zeichen: Großbritannien wird sich niemals ergeben! Zugleich hat er die Briten darauf vorbereitet, dass ein langer und schwerer Weg vor ihnen lag. Nach dem Krieg gab

Sir Winston Churchill,
1874–1965

Churchill einen für die europäische Integration bedeutsamen Anstoß, als er 1946 in seiner berühmten Zürcher Rede die Franzosen aufforderte, sich mit den Deutschen zu versöhnen und die Gründung der «Vereinigten Staaten von Europa» anzustreben.

Man kann kritisieren, dass Churchill dabei vor allem britische Interessen verfolgte und England nicht als Mitglied einer künftigen europäischen Gemeinschaft sah. Gleichwohl war es ein Konzept von großer strategischer Weitsicht. Man kann kritisieren, dass er 1942 die Flächenbombardements deutscher Städte guthieß, die unvorstellbare Zerstörungen mit Zehntausenden von Toten zur Folge hatten. Diese Art der

Kriegführung durch Briten und Amerikaner – und ebenso durch Deutsche – lässt sich nicht rechtfertigen. In meinen Augen wiegen solche Vorwürfe gegen Churchill allerdings nicht schwer genug, seine historische Leistung zu schmälern. Deshalb bleibt Churchill ein Vorbild für die Europäer.

Die goldene Regel

Seit Jahrtausenden orientieren sich Menschen an ihrer Religion. Die Religion gibt Normen vor, und es ist die Pflicht der Gläubigen, sich an diese Normen zu halten. Für sämtliche Weltreligionen gilt, dass sie den Menschen Pflichten auferlegen. Keine der großen Religionen garantiert den Menschen Rechte, nicht der Buddhismus, nicht der Hinduismus, weder das Christentum noch der Islam. Die Tatsache, dass das Pflichtprinzip in allen Religionen eine zentrale Rolle spielt, könnte darauf hindeuten, dass Pflicht eine universale Gegebenheit, vielleicht sogar eine Notwendigkeit ist.

Es gibt ein weiteres Prinzip, das ebenfalls in allen Religionen vorkommt, die so genannte goldene Regel: Was du nicht willst, das man dir tu, das füg' auch keinem andern zu. Kant hat das intellektuell in abstrakte Höhen gesteigert, aber im Grunde sagt er dasselbe. Der kategorische Imperativ lautet – in einer von mehreren Varianten: «Handle nur nach derjenigen Maxime, durch die du zugleich wollen kannst, dass sie ein allgemeines Gesetz werde.»

Diese Gemeinsamkeiten sollten die Verständigung zwischen den Religionen und das Zusammenleben der Menschen eigentlich erleichtern. Leider ist das Gegenteil der Fall. Überall auf der Welt – nicht nur im Nahen Osten – versuchen Menschen, Andersgläubigen ihre eigene Religion aufzudrängen. In den Konflikten und Kriegen, in denen es scheinbar um religiöse Differenzen geht, spielen in Wirklichkeit oft ganz andere Motive eine Rolle; es geht um dynastische, ideologische, ökonomische oder nationalistische Interessen. Aber die Religion eignet sich von jeher besonders gut zur emotionalen Mobilisierung von Massen. Der Dreißigjährige Krieg, den Christen gegen Christen mitten in Europa geführt haben, wurde allein wegen der machtpolitischen Interessen der beteiligten Staaten geführt.

Das Christentum, das sich eine Religion der Nächstenliebe nennt, hat im Laufe seiner zweitausendjährigen Geschichte zahlreiche Feldzüge im Zeichen des Kreuzes unternommen. Am bekanntesten sind die sieben Kreuzzüge ins Heilige Land – darunter ein besonders schlimmer Kinderkreuzzug. Der christliche Missionsgedanke, der unermessliches Leid über die Menschen gebracht hat, diente offiziell nur dem einen Ziel: der Verbreitung des Glaubens. Dieser Auftrag gehört zu den Wesensmerkmalen des Christentums: «Gehet hin und lehret alle Völker und taufet sie ... und lehret sie halten alles, was ich euch befohlen habe», heißt es im Neuen Testament. Zwischen Katholiken und Protestanten kann ich in dieser Hinsicht keinen wesentlichen Unterschied feststellen; die Art, wie sie sich jahrhundertelang untereinander bekämpft haben, hat selbst etwas Missionarisches.

Die Vorstellung, dass das Heil einer Religion in ihrer möglichst umfassenden Verbreitung liegen soll, war mir immer fremd. Heute halte ich sie für zunehmend gefährlich. Und immer wieder habe ich die Erfahrung machen müssen, dass insbesondere viele Theologen sich nicht durch Toleranz gegenüber den Vertretern anderer Religionen auszeichnen. Das gilt für die Theologen fast aller Religionen. Im Zeitalter der Globalisierung, in dem Menschen verschiedener Konfessionen immer dichter aufeinanderrücken, ist religiöse Toleranz jedoch eine Grundvoraussetzung für ein friedliches Zusammenleben. Toleranz aus Respekt vor dem anderen, wie ich betonen möchte, nicht aus Gleichgültigkeit oder Nachlässigkeit.

Meine Religiosität war nie besonders ausgeprägt. Vertröstungen auf das Jenseits sind in meinen Augen wenig hilfreich bei der Bewältigung existenzieller Herausforderungen. Die Bibel gibt keine Entscheidungshilfen – schon gar nicht in konkreten politischen Situationen. Die Bergpredigt wendet sich an alle, «die reinen Herzens sind»: die Barmherzigen und die Sanftmütigen, die Hungernden und Dürstenden, die Gerechten und die Friedfertigen. Ihnen allen wird die frohe Botschaft zuteil, dass sie ihren Lohn im Himmel empfangen werden. Die Bergpredigt warnt die Gläubigen ausdrücklich davor, sich allzu sehr um die Erfordernisse des Tages zu kümmern. Ihr sollt nicht vorsorgen für morgen, sagt Jesus, denn für euer ewiges Seelenheil ist gesorgt. Und an anderer Stelle des Neuen Testaments heißt es: «Richtet nicht, auf dass ihr nicht gerichtet werdet.» Wo es aber Verbrechen gibt, muss es auch Richter geben, und die müssen Urteile fällen, auch wenn sie sich dabei möglicherweise selbst in Schuld verstricken. Je länger ich über die Konsequenzen solcher Lehrsätze nachdachte, desto fremder wurde mir das Christentum.

Durch meine Ende der siebziger Jahre beginnende Beschäftigung mit den Weltreligionen sind mir die Grenzen des Christentums deutlich geworden. Der Vergleich mit anderen Religionen und Philosophien hat dazu geführt, dass ich dem Christentum heute sehr distanziert gegenüberstehe.

Es war mein Freund Anwar as-Sadat, der mich als Erster darauf aufmerksam gemacht hat, dass in allen Religionen die so genannte goldene Regel eine Rolle spielt. Wir hatten uns im März 1976 bei Sadats Besuch in Bonn kennengelernt, und anderthalb Jahre später besuchte ich ihn in Ägypten. Wir führten viele Gespräche über die gemeinsamen Wurzeln der drei großen monotheistischen Religionen. Was mir der ägyptische Präsident erzählte, machte großen Eindruck auf mich. Die zweitägige Reise auf dem Nil, zu der er mich einlud, gehört zu den glücklichsten Erinnerungen meines politischen Lebens. Unsere nächtlichen Unterhaltungen an Bord unter dem Sternenhimmel Ägyptens vergesse ich nicht.

Sadat erzählte mir damals auch von Echnaton. In seinen Augen war der Pharao, der im 14. Jahrhundert vor Christus als Amenophis IV. geboren wurde, der eigentliche Erfinder des Monotheismus. Echnaton war

Pharao Amenophis IV. Echnaton,
14. Jahrhundert v. Chr.

der Gemahl von Nofretete und der Vater von Tutanch-
amun. Um den Einfluss der Priesterkaste zu beenden,
bestimmte er, dass es nur einen einzigen Gott geben
dürfe, den Sonnengott Aton, der in Gestalt einer Son-
nenscheibe verehrt wurde. Alles irdische Leben auf
die Sonne zurückzuführen war ein genialer Gedanke,
denn ohne die Sonne würden wir alle erfrieren, keine
Pflanze würde blühen und kein Fisch im Wasser
schwimmen. Nach Echnatons Tod wurden seine religiösen Neuerungen von der Priesterkaste rückgängig
gemacht.

Versucht man, die gesicherten Lebensdaten Echnatons mit dem in Übereinstimmung zu bringen, was in
der Bibel steht, muss der Pharao ungefähr ein Jahr-

127

Anwar as-Sadat,
1918–1981

hundert vor Mose gelebt haben. Allerdings kommen
die Juden in den ägyptischen Überlieferungen gar
nicht vor, so dass ihre Flucht aus Ägypten und der
Durchzug durch das Rote Meer möglicherweise Fik-
tion sind. Andererseits legt der enge zeitliche Zusammenhang zwischen der Herrschaft des Echnaton und
dem in der Bibel überlieferten Auszug der Juden aus
Ägypten die Vermutung nahe, dass sein Erbe Eingang
gefunden hat in die Gesetzestafeln Moses. Sadat war
davon überzeugt. Mose ist aber nicht nur der Prophet
des jüdischen Glaubens, sondern wird von Juden,
Christen und Muslimen gleichermaßen verehrt. Alle
drei Religionen sind überzeugt, von Abraham abzu-

stammen, dem «Vater des Glaubens», wie der Koran ihn nennt.

Sadat war nicht nur ein umfassend gebildeter Mann, sondern auch ein bedeutender Staatslenker. Von der Idee durchdrungen, dass die Gemeinsamkeiten von Islam und Judentum den Grund legen könnten für einen dauerhaften Frieden mit Israel, plante er 1977, nach Tel Aviv zu reisen und in der Knesset für einen solchen Frieden zu werben. Darüber haben wir uns mehrfach ausgetauscht; sein damaliger Stellvertreter Hosni Mubarak fungierte als «Briefträger». Sadat wusste, dass er mit einer solchen Initiative sein Leben riskierte. Im November 1977, vier Wochen vor meinem Besuch bei ihm, flog er nach Tel Aviv, um in der Hauptstadt des Feindes ein Zeichen zu setzen. Der Friedenswille dieses Mannes ging buchstäblich über Grenzen. Vier Jahre später wurde er ermordet.

Während der Verhandlungen in Camp David hatte Sadat in dem israelischen Außenminister Moshe Dajan einen Partner, der, wie er, davon träumte, dass Juden und Araber eines Tages in Frieden miteinander leben könnten. Beide galten in ihrem jeweiligen Land als Kriegshelden, was es ihnen erleichterte, ihre Position zu vertreten. Dajan verstand viel von der arabischen Mentalität; er hatte als Junge mit den Palästinensern Fußball gespielt, und er sprach Arabisch.

In Camp David saß Premierminister Begin mehrere Wochen mit Sadat am Verhandlungstisch und tat so, als sei er an weitreichenden Ergebnissen interessiert. Am Ende eines Verhandlungstages ging Dajan zu den Amerikanern und gab ihnen Empfehlungen, wie sie mit Begin reden müssten, damit die Verhandlungen nicht scheiterten. Zwar hat das Camp-David-Abkommen von 1978 zu einem Friedensvertrag zwischen Israel und Ägypten geführt, aber in der Hauptsache, der Lösung der Palästinenserfrage, kam man keinen Schritt weiter.

Moshe Dajan hat mich in diesen Jahren zwei- oder dreimal besucht; sein unbedingter Friedenswille hat mich überzeugt. Es war die Einsicht aus drei Kriegen, die er erfolgreich für Israel geführt hatte, dieselbe Altersweisheit, die auch Sadat auszeichnete. Bei einem seiner Besuche brachte mir Dajan Werkzeug und eine Lanzenspitze aus der Zeit der Meder mit, die er als Hobbyarchäologe in Palästina ausgegraben hatte. Eines der Stücke habe ich später Henry Kissinger geschenkt, der Dajan vor allem wegen seiner militärischen Siege bewunderte.

Fünfzehn Jahre nach dem Camp-David-Abkommen kam es unter Jitzchak Rabin erstmals zu direkten Gesprächen mit der PLO-Führung. Ergebnis war das Friedensabkommen von Oslo 1993. Rabin gehörte als ehemaliger Generalstabschef des Sechstagekriegs von 1967 zu den angesehensten militärischen Führern seines Landes. Ähnlich wie Dajan und ähnlich wie auf der anderen Seite Sadat. Und genau wie Sadat hat auch Jitzchak Rabin seinen Einsatz für den Frieden mit dem Leben bezahlt: 1995 wurde er von einem jüdischen Extremisten in Tel Aviv ermordet. «Beide Soldaten sind im Laufe ihres Lebens zu Politikern und sodann zu Friedensstiftern geworden», schrieb ich damals. «Rabin und Sadat waren geschichtsbewusste

Menschen. Für beide waren der Sinai und die dreitausend Jahre alte Stadt Jerusalem Symbole von hoher religiöser Bedeutung. Auch wenn allgemein die gemeinsamen Wurzeln weitgehend vergessen worden sind, so waren diese beiden ehemaligen Feinde dennoch Kindeskinder Abrahams.» Es wäre gut, würden die Morde an Sadat und Rabin am Ende wenigstens zu einem Zeichen der Hoffnung, «denn ihr Opfer hat beide zu weithin leuchtenden Vorbildern werden lassen».

Da auf diesen Seiten viel von jüdischen Freunden die Rede ist, möchte ich eine generelle Bemerkung einfügen. Während der zweiten Hälfte meines Lebens war ich mit zahlreichen Menschen jüdischen Glaubens befreundet. Das hatte jedoch nichts mit ihrem Judentum zu tun; sie hätten genauso gut katholisch oder protestantisch oder auch buddhistisch sein können. Mit anderen Worten: Ich lege diesem Umstand keine besondere Bedeutung bei. Dies vorausgeschickt, will ich zwei weitere Freunde nennen, die sich leidenschaftlich für den Frieden im Nahen Osten engagierten. Der eine war der Dirigent und Komponist Leonard Bernstein, mit dem ich im Sommer 1985 ein langes Fernsehgespräch über die Bedrohung des Weltfriedens führte (passagenweise abgedruckt in «Weggefährten»). Der andere war Nahum Goldmann, der Gründer des Jüdischen Weltkongresses, der entscheidend zur Aussöhnung zwischen Juden und Deutschen beigetragen hatte und sich unermüdlich für eine Verständigung Israels mit Arabern und Palästinensern einsetzte. Auf der Feier seines 85. Geburtstages, 1980 in Amsterdam, hielt er eine kleine Ansprache. Im Laufe seines Lebens habe er mehrere Staatsbürgerschaften erworben, sagte er, prägend aber seien die Jahre seiner Kindheit in Deutschland gewesen: «Ich war fünf Jahre alt, als ich nach Deutschland kam. Meine Sprache und meine Kultur sind zuallererst deutsch. Wenn ich liebe, so in Deutsch; wenn ich hasse, so in Deutsch; wenn ich träume, so ist es in Deutsch.» Dieses Bekenntnis aus dem Munde eines Weltbürgers, der es sich zur Lebensaufgabe gemacht hatte, jüdische Interessen und die Interessen des Staates Israel zu vertreten, hat mich tief bewegt.

*

Im Zusammenhang mit dem Thema Religion möchte ich an drei Persönlichkeiten der katholischen Kirche erinnern, die mir zu wichtigen Ratgebern geworden sind: Oswald von Nell-Breuning, Professor an der Jesuitenhochschule St. Georgen in Frankfurt am Main (1890–1991), Franz Kardinal Hengsbach, Gründerbischof des Ruhrbistums Essen (1910–1991), und Franz Kardinal König, Erzbischof von Wien (1905–2004). Die beiden Erstgenannten standen für einen Katholizismus, der dank seines starken sozialen Engagements tief in die Gesellschaft hineinwirkte. Von König lernte ich, Religiosität als eine überkonfessionelle, nicht an Dogmen gebundene Grunderfahrung menschlichen Daseins zu begreifen.

Nell-Breuning, der Schöpfer der katholischen Soziallehre, war mir Ende der fünfziger Jahre mit sachkundigen und klugen Beiträgen zur Wirtschaftsethik und Sozialpolitik aufgefallen. Er beriet damals Mitglieder der Programmkommission zur Erarbeitung des Godesberger Programms der SPD, in dessen ökonomische und sozialpolitische Passagen viele seiner Anregungen eingeflossen sind. In seinem vielfältigen publizistischen Werk beschäftigte sich Nell-Breuning mit dem Verhältnis von Kapital und Arbeit, mit Fragen des Eigentums, der Lohnpolitik und der Mitbestimmung. Bereits 1928 hat er in seinem noch heute lesenswerten Buch «Grundzüge der Börsenmoral» weitsichtig und mit großer Sachkenntnis die Auswüchse jenes Raubtierkapitalismus beschrieben, der sich gegen Ende des 20. Jahrhunderts heuschreckenartig über den gesamten Globus ausbreitete.

Ich habe mit diesem bedeutenden Sozialphilosophen über eine Reihe von Jahren im Briefwechsel gestanden, zweimal habe ich ihn in seinem kargen Frankfurter Zimmer aufgesucht. Der rege Austausch mit ihm gab mir die Gewissheit, dass die von mir vertretene Politik auch aus der Sicht der katholischen Moraltheologie akzeptabel war. Sein Lebenswerk, die Herstellung einer gerechten Sozialordnung, hat Nell-Breuning nur in Teilen verwirklichen können; zu groß war der Widerstand beider Lohntarifpartner, der Arbeitgeberverbände ebenso wie der Gewerkschaften. Dennoch waren ihm über alle ideologischen und parteipolitischen Grenzen hinweg zahlreiche Politiker, Unternehmer, Gewerkschafter, Kirchenleute zu großem Dank verpflichtet. Ich bin sicher: Die Wirkung, die von Oswald von Nell-Breuning ausging, hält an und ist noch nicht an ihr Ende gekommen.

Auch in meinen Gesprächen mit Bischof Hengsbach standen nicht theologische, sondern soziale Fragen im Mittelpunkt. Mitte der sechziger Jahre hatte sich der «Ruhrbischof» weit über das Ruhrgebiet hinaus einen Namen gemacht, als er sich an die Spitze der Demonstrationen gegen die Schließung der Zechen setzte. «Die Menschen sind nicht für die Wirtschaft da, sondern die Wirtschaft ist für die Menschen da» – mit diesem Wort des Bischofs konnte ich mich sogleich einverstanden erklären. Mit Alex Möller und Egon Franke war ich der Meinung, dass die Krise des deutschen Steinkohlebergbaus einer politischen Lösung bedurfte; eine sozialverträgliche, menschenwürdige Umstrukturierung konnte nur durch staatliche Intervention erreicht werden.

Die Große Koalition brachte in Zusammenarbeit mit den Stahlkonzernen und den Gewerkschaften eine solche Lösung dann tatsächlich zustande. In der auf Anregung von Bischof Hengsbach 1968 gegründeten «Gesellschaft zur Verbesserung der Beschäftigungsstruktur» wurden ältere, schwer vermittelbare Kumpel aufgefangen, um von hier neu in den Arbeitsmarkt integriert zu werden. Gegen Ende seines Lebens war Hengsbach an einer ähnlichen Gründung beteiligt, dem «Initiativkreis Ruhr», in dem noch heute die Aktivitäten zum Strukturwandel des Ruhrgebiets zusammengeführt werden. Zum Zeichen seiner Solidarität mit den Bergleuten trug Bischof Hengsbach in seinem Bischofsring statt eines Edelsteins ein Stück Steinkohle.

Als ich 1969 das Verteidigungsministerium übernahm, hatte ich mit Bischof Hengsbach auch dienstlich zu tun: Er war seit 1961 katholischer Militärbischof. In kirchlichen Angelegenheiten erwies er sich als ein sehr konservativer Mann, aber unsere Freundschaft wurde dadurch nicht getrübt. Für mich blieb der Ruhrbischof ein Vorkämpfer für soziale Gerechtigkeit und bis zu seinem Tod ein wichtiger Gesprächspartner, dem ich vielerlei Ratschlag und Zuspruch verdanke. Auf dem Sterbebett gab er einem Monsignore den Auftrag, seinen «alten Kumpel Schmidt» zu grüßen – das war in der Sprache der Bergleute eine selbstverständliche Anrede, für mich war es eine besondere Auszeichnung.

Den Wiener Kardinal König habe ich sehr viel später kennengelernt. Er war ein unglaublich kundiger, gebildeter, sehr toleranter Mann. «Wahrheit ist in allen Religionen enthalten», lautete sein Grundsatz, und im Koran wusste er besser Bescheid als viele Imame. Er hatte über altorientalische Religionen gearbeitet und bereits 1965 in der al-Azhar-Universität in Kairo, dem wissenschaftlichen Zentrum des Islam, einen bahnbrechenden Vortrag über die Gemeinsamkeiten der monotheistischen Religionen gehalten. Er bestätigte mir Sadats Ausführungen in allen wesentlichen Punkten.

Anfang 1987 haben mein Freund Takeo Fukuda, der ehemalige japanische Ministerpräsident, und ich geistliche und politische Führer aus aller Welt zu einem dreitägigen interreligiösen Dialog nach Rom eingeladen. Im Haus der «Civiltà Cattolica» kamen etwa zwanzig Personen zusammen, die beseelt waren von dem Wunsch, sich gegenseitig zuzuhören und für die drängendsten Probleme gemeinsame moralische Positionen zu finden. Ganz oben auf unserer Themenliste stand das ungebremste Bevölkerungswachstum. Kardinal König hat in diesen drei Tagen den stärksten Eindruck bei mir hinterlassen.

In den folgenden Jahren habe ich viele Gelegenheiten genutzt, das Gespräch mit Kardinal König fortzusetzen. Mein letzter Besuch bei ihm in Wien steht mir noch heute deutlich vor Augen. «Herr Schmidt, vergessen Sie nicht die Kraft des persönlichen Gebets!», sagte er, als er beim Abschied meine Hand ergriff, und im selben Augenblick wusste ich, dass ich ihn nicht wiedersehen würde. Als ich einige Jahre später in die Krypta des Stephansdomes stieg, wo die Särge der Wiener Erzbischöfe hinter einem Gitter übereinandergestapelt stehen, kamen mir beim Anblick seines Sarges in Erinnerung an diesen weisen Mann die Tränen.

Die Anstrengung, die wir 1987 unternahmen, um Vertreter der wichtigsten Religionen an einen Tisch zu bringen, war dem Projekt vergleichbar, das wenige Jahre später Hans Küng mit seiner Stiftung Weltethos ins Werk gesetzt hat. Die goldene Regel gilt für alle Menschen, warum sollen wir dann nicht auch allen Menschen davon erzählen, so könnte man Küngs Ansatz umschreiben. Er hat Recht. Denn es sind meist die eigenen Priester, die ihre Gläubigen im Ungewissen darüber lassen, dass andere Religionen ähnliche Grundsätze haben, und stattdessen gern die Unterschiede und Andersartigkeiten betonen. Die Überwindung dieser Ignoranz in den eigenen Reihen ist für Küng die Voraussetzung eines fruchtbaren interkulturellen Dialogs.

Aufklärung beginnt damit, den Menschen von den gemeinsamen Wurzeln der Religionen zu erzählen. Wenn ihnen das bewusst gemacht wird, werden sie auch nicht mehr ununterbrochen Krieg miteinander führen. «Der Frieden in der Welt hängt in hohem Maße davon ab», schrieb ich vor vier Jahren im Vorwort zu einem Band mit gesammelten Reden und Aufsätzen zum Thema Religion, «dass die Führer der Weltreligionen ihre Verantwortung für den Frieden wahrnehmen und dass sie ihre Gläubigen zu gegenseitigem Respekt und zur Toleranz aufrufen.» Diesem Ziel verschrieb sich mein Freund Sadat, aus diesem Geist lebte und handelte mein Freund Franz König. Deshalb nenne ich beide Vorbilder.

Ein Konfuzianer: Deng Xiaoping

Als ich 1965 zurück in den Bundestag ging, hatte ich als Verteidigungsfachmann meiner Partei einen einigermaßen guten Überblick über die militärische Situation in der Welt – mit Ausnahme des Fernen Ostens. Mein Bild von Japan war unvollständig, in Südostasien klafften große Wissenslücken, und China fehlte ganz. In der zweiten Hälfte der sechziger Jahre begann ich mich daher mit China zu befassen, und als ich 1969 Verteidigungsminister wurde, habe ich mir eine große Reise Richtung China verordnet.

Es gab keine diplomatischen Beziehungen zwischen der Bundesrepublik Deutschland und der Volksrepublik China, deshalb konnte ein Bundesminister nicht in das Land selbst reisen. Also habe ich mir China von außen angeguckt, das heißt, ich bin in großem Bogen um das Land herum gefahren und habe die Nachbarn besucht: Thailand, Japan, Australien, Neuseeland, sogar die Fidschi-Inseln. Überall habe ich die gleiche Frage gestellt: Was ist mit China, was wird aus China? Hier in Europa rannten die jungen Leute zu dieser Zeit mit roten Fahnen durch die

Straßen und zitierten Worte des Großen Vorsitzenden Mao, aber sie hatten kaum eine Ahnung.

Mir war auf meiner Pazifikreise klar geworden, dass China über kurz oder lang wieder eine Großmacht werden würde. Nach meiner Rückkehr drängte ich deshalb bei Willy Brandt darauf, so schnell wie möglich diplomatische Beziehungen zu China aufzunehmen. Das geschah ein knappes Jahr nach meiner Reise, im Oktober 1972, sieben Jahre bevor die USA sich zu diesem Schritt entschließen konnten.

Wir Europäer haben noch immer keine hinreichende Vorstellung von der viertausendjährigen Zivilisation und von der Geschichte des chinesischen Volkes. Auch von anderen Ländern in Südostasien wie Indonesien, Malaysia oder Burma haben wir wenig Ahnung – wir reden wie der Blinde von der Farbe. Ich kann nur empfehlen, dorthin zu reisen und insbesondere China zu besuchen. Allerdings sollte man die Reise gut vorbereiten, um ein Gefühl zu bekommen für die Kontinuität der chinesischen Zivilisation, aber auch für die unglaubliche Leistung, die nach Maos Tod von Deng Xiaoping vollbracht wurde. China hat sich in den knapp vierzig Jahren, die seither vergangen sind, stärker verändert als jedes andere Land der Welt. Fast allen Chinesen geht es heute besser als jemals zuvor in ihrer Geschichte. Das gilt nicht nur für die Bewohner der großen Städte entlang der Küste, denen es unendlich viel besser geht, sondern für fast alle, auch die in den entlegenen Provinzen des Westens.

Im Rahmen meiner Bemühungen, China zu verstehen, habe ich mich früh mit dem Konfuzianismus ver-

Konfuzius,
etwa 551–479 v. Chr.

traut gemacht. Man wusste, dass Mao ihn in Acht und
Bann getan hatte, aber man wusste auch, dass er seit
über einem Jahrtausend tief in der chinesischen Gesellschaft verankert war und wohl trotz des Verbots
durch Mao weiterhin eine Rolle spielte. Heute wissen
wir: Der Konfuzianismus hat die Attacken der «proletarischen Kulturrevolution» nicht nur überlebt, er
kann sogar als einer der wesentlichen Faktoren des
chinesischen Erfolgs gesehen werden. Die Chinesen
unterhalten heute in über hundert Ländern der Erde
Konfuzius-Institute zur Förderung der chinesischen
Sprache und Kultur. Sie können das vereinen: die Verehrung für Konfuzius und die Verehrung für Mao, des-

141

sen Porträt noch immer in Millionen Wohnstuben hängt, jedenfalls bei der Landbevölkerung.

Der Konfuzianismus wird im Allgemeinen zu den großen Weltreligionen gezählt. Das erscheint mir als eine unzulässige Vereinfachung, ja als ein Irrtum. Der Konfuzianismus unterscheidet sich in vielerlei Hinsicht von den anderen Religionen, insbesondere von den monotheistischen, so dass ich zögere, ihn überhaupt eine Religion zu nennen. Ich spreche lieber von einem System. Konfuzius lebte vor zweieinhalbtausend Jahren, vermutlich von 551 bis 479 vor Christus. Sein System funktioniert etwa seit dem Jahr 900, also seit über tausend Jahren. Wieso funktioniert es immer noch? Und warum ist es so erfolgreich?

Der Konfuzianismus besteht aus einem streng gegliederten System von Prüfungen. Wer aufsteigen will, muss unendlich viele Prüfungen ablegen, Kreisprüfungen, Provinzprüfungen, Landesprüfungen, eine Prüfung nach der anderen. Dabei wird nichts anderes geprüft als die Kenntnis der alten Texte. Wer dieses strenge Ausleseverfahren besteht, hat im Grunde eine Literaturprüfung bestanden. Schließlich wird er Mandarin, das heißt, er bekleidet von nun an ein politisches Amt. Innerhalb des konfuzianischen Systems, das vor ungefähr zweitausend Jahren eingeführt wurde, konnte jeder Einzelne aufsteigen, unabhängig von Herkunft, Vermögen und Gesinnung. Ausschlaggebend waren allein die Prüfungsergebnisse, also die persönliche Befähigung des Einzelnen – Aufstieg durch Leistung.

142   Wesentliche Elemente des Konfuzianismus sind der

Respekt für Hierarchien und das Streben nach Harmonie. Jenseitsvorstellungen sind hingegen recht diffus; Konfuzius spricht vom Himmel, kennt aber keine transzendentalen Gewissheiten. In China kann man Buddhist oder Hindu oder Christ sein oder an den Koran glauben, das alles ist zulässig. Es gab zu keinem Zeitpunkt der chinesischen Geschichte eine für das ganze Land gültige Staatsreligion, ganz anders als in England, ganz anders als in Saudi-Arabien, ganz anders auch als in den USA.

Diese Zusammenhänge hatte ich im Hinterkopf, als ich 1984 Deng Xiaoping besuchte. Deng stand damals auf einem Höhepunkt seiner Macht. Er hatte mich zu den Feierlichkeiten zum 35. Jahrestag der Gründung der Volksrepublik China eingeladen. Ich kannte ihn seit meinem ersten Besuch in China 1975, aber jetzt konnten wir offener miteinander sprechen – zumal ich selber nicht mehr im Amt war –, und deshalb erlaubte ich mir, ihn ein bisschen zu kitzeln, indem ich zu ihm sagte, dass mir die chinesischen Kommunisten nicht ganz ehrliche Leute zu sein schienen: «Ihr nennt euch Kommunisten, aber in Wirklichkeit seid ihr Konfuzianer.»

Deng ist zurückgezuckt und hat einen Augenblick überlegt. Er hätte aufstehen und das Gespräch beenden können. Aber es kamen nur zwei Worte: «So what?» Das war alles, was er dazu gesagt hat. Man kann das übersetzen, wie man will: Was hast du dagegen, oder was willst du daraus schließen, oder einfach auch, ist mir egal. So what. Jedenfalls hat er mir meinen frechen Satz nicht übel genommen. Er konnte übrigens wunderbar spucken und hatte immer einen Spucknapf, der etwa einen Meter von seinem Stuhl entfernt stand. Ein ganz kleiner Kerl – ich schätze 1,62 oder 1,63 Meter groß –, aber voller Energie, voller Spannung und mit einem brillanten Verstand.

Deng war ein Pragmatiker der Vernunft. «Es ist mir egal, ob die Katze schwarz oder weiß ist, Hauptsache sie fängt Mäuse.» Dieser für ihn typische, oft zitierte Satz besagt, dass die Weltanschauung weitgehend gleichgültig ist, solange das Ergebnis stimmt. Ein Satz, der mir aus dem Munde von Deng Xiaoping gefällt, mit dem man als Politiker im Westen aber nicht weit kommt. Im Westen fragt man als Erstes nach der Gesinnung der Katze. Schon bei unseren ersten Gesprächen 1975 hatte ich den Eindruck, dass Deng Xiaoping jeglicher Ideologie abgeneigt war, aber umso mehr auf die Kraft der praktischen Vernunft setzte.

Mao lebte noch, und Deng musste in seinen Äußerungen gegenüber westlichen Besuchern sehr vorsichtig sein. Er hatte bereits zwei «Säuberungen» hinter sich. Anfang 1976, noch vor Maos Tod, als die so genannte Viererbande vorübergehend die Macht übernahm, verlor er zum dritten Mal alle Ämter und wurde unter Hausarrest gestellt. Mit viel Glück überlebte er, aber einer seiner Söhne, der damals aus dem Fenster geworfen wurde, saß seither im Rollstuhl. Deng wusste, dass Mao zur Sicherung seiner persönlichen Macht über Leichen ging.

Auch bei der Durchsetzung seiner ehrgeizigen politischen Ziele kannte Mao Zedong keine Rücksicht. Allein die Kampagne «Großer Sprung nach vorn» kostete

Deng Xiaoping, 1904–1997

Anfang der sechziger Jahre nach neueren Schätzungen weit mehr als zwanzig Millionen Chinesen das Leben – sie sind verhungert. Im Zuge der 1966 von Mao ausgerufenen «Großen Proletarischen Kulturrevolution» wurden Hunderttausende vielversprechender junger Leute und bewährter Führungskräfte zur Zwangsarbeit aufs Land zu den Reisbauern geschickt und dort nach Strich und Faden von den Parteikadern gedemütigt. Bei meinem ersten Besuch in China 1975 dauerte die Kulturrevolution noch an. In Urumqi, der Hauptstadt der Provinz Xinjiang, konnte ich mir selber ein Bild von den schrecklichen Auswirkungen dieser Massenhysterie machen. «Jedermann musste immerfort Gesinnungen vortäuschen, die nicht die

145

seinen waren», schrieb ich zehn Jahre später in «Menschen und Mächte». «Ein ganzes Volk war zum Lügen verdammt worden.»

Wie auch immer Deng über Mao gedacht haben mag – mir gegenüber machte er nie eine Andeutung –, in jedem Fall wusste er, dass er ein schweres Erbe antrat. Und im Juni 1989, bei der Niederschlagung der Proteste auf dem Tiananmen-Platz, geriet Deng selber in die Kritik. Im Westen wurde vom «Massaker am Platz des Himmlischen Friedens» gesprochen. Ich wollte mir selbst ein Bild machen und reiste deshalb ein knappes Jahr später zu meinem dritten Treffen mit Deng nach Peking.

Es handelte sich im Kern um einen Generationenkonflikt, wie er in allen Gesellschaften vorkommt. Im Westen hatte man daraus die Unterdrückung einer Demokratiebewegung gemacht. Dann aber war es zu einem unglaublichen Gesichtsverlust für die chinesische Führung gekommen, als Gorbatschow, der in diesen Tagen auf Staatsbesuch in Peking war, wegen der Demonstrationen auf dem Tiananmen-Platz den Hintereingang in die Große Halle des Volkes benutzen musste. Nach wochenlangen friedlich verlaufenen Demonstrationen hatte dieser Vorfall das Eingreifen des Militärs ausgelöst.

Angst der Führung vor Chaos, Richtungsstreit innerhalb der Führung und mangelhafte technische Vorbereitung kamen hinzu. Deng sprach mir gegenüber offen über die Probleme, die es gegeben hatte. Er räumte ein, dass die Ursachen in der Partei zu suchen seien, die Parteispitze habe die Sache nicht im Griff gehabt. Dass er die Schuld nicht bei anderen ablud, imponierte mir.

Ich habe mich mit Kritik am Tiananmen-Eklat zurückgehalten und habe vor westlicher Überheblichkeit gewarnt. Gedanklich habe ich das Tiananmen-Debakel immer mit dem Amerikanischen Bürgerkrieg verglichen. Seither gelte ich bei manchen Deutschen als Freund der Chinesen – und das ist keineswegs als Auszeichnung gemeint. In Wirklichkeit bin ich nur ein etwas gründlicherer Beobachter. Richtig ist, dass ich das Potenzial Chinas früher als andere geahnt, dass ich mich kontinuierlich über die Entwicklung im Land auf dem Laufenden gehalten und den Chinesen stets den ihnen gebührenden Respekt entgegengebracht habe. Es erscheint mir reichlich selbstgerecht, die chinesischen Verhältnisse ausschließlich nach westlichen Standards zu beurteilen.

Dengs ganzes politisches Leben war geprägt vom Engagement zugunsten des Wohles seines Volkes. Spätestens in den siebziger Jahren muss er verstanden haben, dass manches von dem, was Mao ins Werk gesetzt hatte, absolut unsinnig gewesen war. Also versuchte er einen anderen Weg und ging schrittweise vor. Als Erstes nahm er Wirtschaftsreformen in Angriff und ließ entlang der Küste Sonderwirtschaftszonen einrichten, in denen die Neuerungen leichter durchführbar waren. Als sein Öffnungskurs Anfang der neunziger Jahre auf Widerstände der neuen Führung stieß, hat Deng mit einer triumphalen fünfwöchigen Reise durch den Süden seine Politik durchgesetzt. Dabei kamen ihm militärische Parteigrößen, lokale Funktionäre und auch die Presse zu Hilfe. Mit dieser außerordentlichen Altersleistung hat Deng sein Lebensziel, China auf den Weg in eine Marktwirtschaft zu führen, endgültig durchgesetzt.

Das Modell, das heute in China praktiziert wird, entspricht einem den modernen Gegebenheiten angepassten Konfuzianismus. Vielen Menschen im Westen erscheint dieses Modell als unheimlich, manche empfinden es nicht zuletzt wegen seiner Effizienz als eine Bedrohung. Das amerikanische System, das sie dem chinesischen entgegensetzen, ist relativ jung. Es existiert seit der Begründung der Vereinigten Staaten von Amerika, das war 1776, also seit nicht einmal 250 Jahren. Das chinesische System existiert nicht nur deutlich länger, es hat im Laufe seiner Geschichte auch deutlich mehr ausgehalten: zunächst eine mongolische Dynastie, ein aus Sibirien kommendes Reitervolk, eine mandschurische Dynastie, sodann den Kolonialismus des Westens im 19. Jahrhundert, schließlich die Okkupation durch Japan und zuletzt den Kommunismus Mao Zedongs. Die Prinzipien des Konfuzianismus haben jedes Mal ihren prägenden Einfluss auf die chinesische Gesellschaft behalten. Im Vergleich dazu hat die Demokratie in Deutschland eine große Bewährungsprobe noch vor sich.

Jedoch ist Dauerhaftigkeit nicht das einzige Kriterium, unter dem man eine Regierungsform beurteilen sollte; denn unter diesem Gesichtspunkt wäre womöglich die Diktatur die stabilste und erfolgreichste Herrschaftsform der Menschheitsgeschichte. Wie fällt der Vergleich zwischen China und dem Westen aus, wenn man zum Beispiel die Nachfolgeregelung betrachtet? In den westlichen Demokratien wird die politische Nachfolge durch Wahlen geregelt. Im chinesischen System wird der Nachwuchs in der Tradition des Konfuzius durch die Kommunistische Partei herangezogen, wobei jedoch eine erfolgreiche akademische Ausbildung zur Voraussetzung wird. Es ist denkbar, dass im Laufe des 21. Jahrhunderts die Funktionäre der Kommunistischen Partei ein ähnliches Prüfungssystem durchlaufen müssen wie noch im 19. Jahrhundert die Mandarine.

Vergleicht man die beiden Modelle etwas genauer, stellen sich Zweifel ein, welches System bei der Auswahl und Bestimmung der Nachfolger vorzuziehen ist, das chinesische oder das amerikanische. In den Präsidentschaftswahlkämpfen der USA hat derjenige Kandidat die größten Chancen, der das meiste Geld für seinen Wahlkampf mobilisieren kann. Unter Demokratiegesichtspunkten ist hier ein dickes Fragezeichen angebracht. Ein Apparat wie derjenige der Kommunistischen Partei Chinas wiederum tendiert zu Verkrustungen und hat mit dem Problem der Korruption zu kämpfen. Westliche Politiker wollen bei der nächsten Wahl wiedergewählt werden und gehen unpopulären Entscheidungen deshalb aus dem Weg. Im konfuzianischen System gilt der Grundsatz, das Volk leidlich milde zu behandeln und es nicht auszubeuten, aber der Mehrheitswille des Volkes steht nicht im Fokus des politischen Handelns.

Das westliche Modell schließt eine Reihe von Ideen ein, die durchaus geeignet sind, universelle Wirkung zu entfalten: die Idee der Freiheit, die Idee des Rechtsstaats, die Idee des Individuums, die Idee der Menschenwürde. Diese Ideale verdanken wir im Wesentlichen der Aufklärung. Sie wurden durchgesetzt gegen die jahrhundertelange Bevormundung durch die Kirche. Man kann Aufklärung als Sieg der Vernunft über die Lehrsätze der Religion auffassen. Aber in China hat bisher keine Kirche die Macht innegehabt. Deswegen werden die Chinesen ihren eigenen Weg gehen. Die Anhänger des Konfuzianismus bedürfen jedenfalls nicht der Belehrung durch uns Deutsche, die wir den richtigen Gebrauch der Vernunft gerade erst gelernt haben.

Heute wird Deng Xiaoping von den Chinesen als Vater der Modernisierung gesehen. Manchmal habe ich den Eindruck, dass Generalsekretär Xi Jinping ihn insgeheim noch übertreffen möchte – das kann gut sein für China, auch wenn sein Weg nicht ungefährlich ist. Es sei gut möglich, sagte ich vor einigen Jahren in einem Interview, dass man Deng Xiaoping eines Tages nicht nur als den erfolgreichsten kommunistischen Führer ansehen werde, sondern als einen der bedeutendsten Staatsmänner des 20. Jahrhunderts überhaupt. Er hat durch seine unerschütterlich pragmatische Durchsetzungskraft ein Fünftel der Menschheit in die Welt integriert und den Chinesen zu nachhaltigem Wohlstand verholfen. Für mich zählt dieser Mann zu den großen Vorbildern, denen begegnet zu sein für mich zu den wichtigsten Ereignissen meines Lebens zählt.

*

Im Mai 2012 bin ich ein letztes Mal nach Ostasien ge-
reist. Damals traf ich zum ersten Mal Xi Jinping – er
war noch nicht endgültig zum Generalsekretär gewählt. Ich sah auch einige meiner langjährigen Gesprächspartner wieder, wie zum Beispiel Jiang Zemin
und Wen Jiabao. Mit besonderer Freude habe ich Zhu
Rongji zum zweiten Mal besucht, einen ungemein tat-
kräftigen und mutigen Mann, der mit erstaunlicher
ökonomischer Instinktsicherheit begabt war. Als Zhu
1998 Ministerpräsident wurde, war Deng Xiaoping bereits gestorben; aber Deng hätte in Zhu einen ihm
kongenialen Mann erkannt.

Einer der Gründe jener «Sentimental Journey» war,
dass ich Abschied nehmen wollte von Lee Kuan Yew,
dem ehemaligen Ministerpräsidenten von Singapur,
dem ich seit den späten achtziger Jahren freund-
schaftlich verbunden bin. Obwohl wir unterschiedlichen Kulturkreisen angehören, stimmen wir in vielen
Punkten überein und sehen die Welt auf ähnliche
Weise. Ich verdanke Harry – wie er von seinen Freunden genannt wird – eine Reihe von Kenntnissen über
Asien und nicht zuletzt vieles von dem, was ich im
Laufe der Jahre über China gelernt habe.

Auch Lee ist Konfuzianer. Die kulturellen Traditio-
nen des Konfuzianismus schienen wie gemacht für
einen so heterogenen Stadtstaat wie Singapur, in dem
Menschen verschiedener Völker und verschiedener
Religionen mit unterschiedlichen Sprachen auf engs-

tem Raum zusammenleben. Lee wusste, dass eine der wichtigsten Voraussetzungen für ein friedliches Zusammenleben eine gemeinsame Sprache ist, und hat Englisch als Verkehrs- und Verwaltungssprache durchgesetzt; untereinander spricht die Mehrheit der heute knapp fünfeinhalb Millionen Einwohner nach wie vor Chinesisch. Lee übernahm die Regierung der britischen Kronkolonie 1959. Aus einer sumpfigen Insel mit ausgedehnten Slums – so erlebte ich die Stadt damals bei einem Zwischenstopp – hat er eines der wichtigsten Wirtschaftszentren Asiens mit einem der höchsten Pro-Kopf-Einkommen der Welt geschaffen. Dieser Lebensleistung meines Freundes zolle ich Respekt und Bewunderung.

Zu den Bewunderern Lees hat auch Deng Xiaoping gehört. Es beeindruckte ihn, dass ein kleiner Inselstaat ohne Ressourcen auf solche Weise prosperierte und über ein so breites Angebot an Waren und Gütern verfügte. Ende der siebziger Jahre erkundigte er sich bei Lee nach den Details; danach hat er beschlossen, entlang der chinesischen Küste Sonderwirtschaftszonen einzurichten und nach dem Vorbild Singapurs für ausländische Investitionen zu öffnen. Lee ist allerdings skeptisch, dass China auf Dauer ohne rechtsstaatliche Institutionen prosperieren kann. Bei unserem Treffen in Singapur im Mai 2012 haben wir uns intensiv über die Zukunft Chinas ausgetauscht und darüber später auch ein kleines Buch veröffentlicht.

Philosophische Unterweisung:
Kant, Weber, Popper

Ich bin Eklektiker, das heißt, ich suche mir überall das heraus, was zu mir passt. Und wende es so an, dass es mich weiterbringt. Wenn ich also sage, dass Immanuel Kant zu meinen großen Vorbildern zählt, dann bedeutet das nicht, dass ich Kants Schriften systematisch gelesen habe und in seine Philosophie eingedrungen bin. Ich habe bei Kant gelernt, aber ich würde mich nicht einen Kantianer nennen; das lehne ich schon deshalb ab, weil ich nicht vereinnahmt werden will.

Von Kant habe ich im Wesentlichen ein einziges Werk gelesen, den Traktat «Zum ewigen Frieden». Der vergleichsweise schmale Band erschien 1795, da war Kant bereits ein alter Mann, über siebzig. Ich habe den Text wahrscheinlich 1946 zum ersten Mal gelesen, möglicherweise angeregt durch Diskussionen innerhalb der Führung des SDS über die programmatische Ausrichtung des Verbands.

Sosehr mir das, was ich dort las, auf Anhieb einleuchtete, so wenig vermochte ich in das theoretische Gedankengebäude Kants einzudringen. Dafür fehlten mir nicht nur die philosophischen Voraussetzungen, sondern auch die Geduld, mich in die Kant'sche Terminologie einzuarbeiten. Friedrich Schiller soll einmal gefragt worden sein, womit er sich denn die letzten Jahre beschäftigt habe. Er habe versucht, Kant zu verstehen, war die Antwort. Und was er für die nächsten Jahre plane? Er werde versuchen, alles, was er von Kant gelesen habe, wieder zu vergessen. Kants intellektuelle Kraft übersteigt offenbar nicht nur mein eigenes Urteilsvermögen.

Auch für Kant gilt, was ich im Zusammenhang mit anderen Vorbildern bereits gesagt habe: Als Mensch hat er mich nicht interessiert. Er war offenbar kein sehr tapferer Mann. So hat er sich vom preußischen König verbieten lassen, als Professor der Logik und Metaphysik an der Universität Königsberg auch religiöse Fragen zu behandeln und darüber zu veröffentlichen. Sein Leben verlief wie das eines Spießbürgers, jedenfalls recht gleichförmig; als Hauslehrer kam er für einige Jahre nach Gumbinnen und Mohrungen, danach hat er seine Vaterstadt Königsberg nicht mehr verlassen. Allerdings scheint er einen gewissen Humor gehabt zu haben. Im Vorwort seiner Schrift «Zum ewigen Frieden» schreibt er, den Titel verdanke er einem holländischen Gastwirt, der auf das Schild seiner gleichnamigen Kneipe einen Friedhof gemalt hatte.

Was mich an Kants Schrift «Zum ewigen Frieden» faszinierte, war zum einen die Erkenntnis, dass moralisches Handeln auf Vernunft gegründet sein muss. Zwischen sittlicher Pflicht und kritischer Vernunft gab es demnach einen engen Zusammenhang. Die andere

Immanuel Kant, 1724–1804

Einsicht, die mir als Kriegsheimkehrer neue Zuversicht gab: Dass der Friede zwischen den Völkern kein Naturzustand ist, sondern immer wieder neu gestiftet werden muss. Wenn man in Übereinstimmung mit dem handelt, was allen Menschen gemeinsam ist, wird über sonstige Unterschiede hinweg Verständigung möglich.

In dem moralischen Chaos, das die Nazis hinterlassen hatten, wurde mir Kant zu einem verlässlichen Kompass. Auch in späteren Jahren bin ich immer wieder zu ihm und seiner kleinen Altersschrift zurückgekehrt. Obwohl mir sein philosophisches Gedankengebäude in seiner Gänze verschlossen blieb, so habe ich mir doch seine wichtigsten Prinzipien im Laufe mei-

155

nes Lebens zu eigen gemacht. Habe Mut, dich deines eigenen Verstandes zu bedienen! Diesen Satz hatte Kant als Wahlspruch der Aufklärung formuliert. Gegen Ende seines Lebens hat er diese Aufforderung zu einem dreifachen Appell erweitert: Selbst denken! Sich an die Stelle jedes anderen denken! Jederzeit mit sich selbst einstimmig denken! Kants Forderung, sich an die Stelle des anderen zu denken, ist für mich eine kardinale Notwendigkeit für politisches Handeln. Wer die Interessen und Motive des anderen nicht ernst nehmen will, taugt nicht zum Kompromiss. Der Kompromiss aber ist die Voraussetzung für den Frieden.

Der «ewige Friede» im Sinne Kants bleibt ein unerreichbares Ideal. Umso notwendiger ist es, sich dieses Ideals stets aufs Neue zu versichern. Nach Kant gibt es keinen Widerspruch zwischen Moral und Politik, vernunftgeleitete Politik hat immer einen sittlichen Grund. Wer an dieser Überzeugung festhält, wird nicht nachlassen in dem Bemühen, sein Handeln danach auszurichten, dass es zur Maxime allgemeinen Handelns werden kann. «Handle so, dass die Maxime deines Willens jederzeit zugleich als Prinzip einer allgemeinen Gesetzgebung gelten könne», heißt es bei Kant. Bei vielen konkreten politischen Entscheidungen war ich mir dieses kategorischen Imperativs bewusst. Und ich wusste: Die Verantwortung für die Folgen meines Tuns hatte ich ganz allein selbst zu tragen. Gerade in schwierigen Situationen habe ich mich deshalb der philosophisch-ethischen Grundlage versichert, auf der meine Entscheidung zu treffen war.

Der Kodex ethischer Normen, auf den wir uns berufen, kann allerdings immer nur eine Entscheidungshilfe geben. Moralische Reflexion und Selbsterforschung sind wichtig, aber sie genügen nicht, wenn es darum geht, eine Entscheidung zu fällen. Verantwortlich handeln heißt, sämtliche Folgen seines Handelns zu berücksichtigen. Es gilt, auch jene möglichen Konsequenzen zu bedenken, die wir nicht vorhersehen und die wir nicht wollen können, und Einschränkungen, die uns selbst oder andere später möglicherweise behindern, zu begrenzen. Hier kommt der für Kant so wichtige Begriff der Pflicht ins Spiel. Pflicht ist für ihn die Notwendigkeit einer Handlung aus Achtung für das Gesetz. Kant verkörpert für mich das idealistische Prinzip einer unbedingten, weder durch Eigeninteressen noch durch Opportunismus verzerrten Pflichtauffassung.

Wie aber erkenne ich meine Pflicht? Kant gibt eine eindeutige Antwort: indem ich meinen Verstand gebrauche. Aufklärung, so schrieb er in seiner berühmt gewordenen Erläuterung dieses Begriffs, sei die Befreiung des Menschen aus seiner selbstverschuldeten Unmündigkeit. Unmündigkeit war für ihn das Unvermögen, sich seines Verstandes ohne Leitung durch einen anderen zu bedienen; selbstverschuldet sei diese Unmündigkeit, weil es den meisten Menschen an Entschlusskraft und Mut fehle, ihren eigenen Verstand zu gebrauchen. Das Adjektiv «selbstverschuldet» erschien mir immer als irreführend. Es sind eben nicht nur «Faulheit und Feigheit», wie Kant schreibt, die den Menschen am Selberdenken hindern. Es sind vor allem staatliche und kirchliche Instanzen, die ihn in

157

Unmündigkeit halten und davon abbringen, seinen Verstand zu gebrauchen.

Politik, so habe ich im Sinne Kants und Poppers vor vierzig Jahren geschrieben, ist pragmatisches Handeln zu sittlichen Zwecken. Knapper wüsste ich auch heute nicht auf den Punkt zu bringen, was Politik meinem Verständnis nach zu sein hat. Ein Politiker darf sein Handeln nicht von der Meinung anderer abhängig machen und hat jede Form des Opportunismus zu meiden. Wenn er alle Folgen abgewogen hat, soll er den Mut aufbringen, das als richtig Erkannte durchzusetzen. So erfüllt er seine sittliche Pflicht in Achtung vor dem Gesetz.

Im Anhang zu seiner Schrift «Zum ewigen Frieden» hat Kant eine wichtige Unterscheidung getroffen. Er spricht dort «über die Misshelligkeit zwischen der Moral und der Politik» und stellt zwei Typen gegenüber: den «moralischen Politiker» und den «politischen Moralisten». Der moralische Politiker handelt nach den Geboten der Vernunft, und zwar so, dass die Prinzipien der Staatsklugheit stets mit der Moral in Einklang stehen. Der politische Moralist hingegen handelt nach dem Nützlichkeitsprinzip und ordnet die Moral der Politik unter. Ich habe mich immer zu der Auffassung bekannt, dass Politik das Machbare erkennen muss, ohne das sittliche Gesetz zu verletzen.

Aber was ist das sittliche Gesetz? Es scheint mir zunächst eine sehr allgemeine Formel zu sein. Und doch ist sie offenbar so wichtig, dass sie sogar ins Grundgesetz geschrieben wurde. «Jeder hat das Recht auf die

158 freie Entfaltung seiner Persönlichkeit, soweit er nicht

... gegen das Sittengesetz verstößt», heißt es in Artikel 2. Die Aufnahme dieses Artikels ist wohl nur damit zu erklären, dass man nach den vorangegangenen zwölf Jahren Nazizeit moralische Schranken einbauen wollte. Deshalb heißt es in Artikel 1: «Die Würde des Menschen ist unantastbar.» Das steht da, weil die Würde des Menschen zwölf Jahre lang mit Füßen getreten worden war.

Wie man solche Formeln füllt und auslegt, ist stark von den Zeitumständen abhängig. Das Sittengesetz zur Zeit der alten Römer war ein anderes als das, das heute in Deutschland gilt. Es ist vielerlei Strömungen und gesellschaftlichen Entwicklungen unterworfen und muss immer wieder neu austariert werden. Dem Staat kann hierbei die Rolle des Mediators zukommen. Jedenfalls muss er die divergierenden Interessen ausgleichen und zwischen beharrenden Kräften und Kräften, die auf Veränderung und Fortschritt drängen, vermitteln. Hingegen gehört es keinesfalls zu den Aufgaben des Staates, selber die Werte zu bestimmen, die das Sittengesetz ausmachen sollen.

Über dieser Frage kam es in der so genannten «Grundwertedebatte» Mitte der siebziger Jahre zu einem lang anhaltenden Streit mit Politikern der CDU/CSU und Vertretern der Kirche. Führende Repräsentanten der Opposition warfen mir als Bundeskanzler vor, ich würde «die geistig-moralische Führung der Nation» vernachlässigen. Ich hielt dagegen: «Der Staat ist nicht für die geistige Orientierung zuständig, die Organe des Staates sind nicht für die geistige Orientierung zuständig.» Auslöser der Debatte waren einige Reformvorhaben, darunter Neuregelungen im Straf- und Scheidungsrecht, vor allem aber die Novellierung des § 218.

Die katholische Deutsche Bischofskonferenz hatte mich massiv angegriffen: Die gegenwärtigen Verschiebungen im Wert- und Normbewusstsein unserer Gesellschaft würden das Fundament unseres Rechtsstaates erschüttern, das sittliche Bewusstsein zerstören und die Gesellschaft insgesamt unmenschlicher machen. In einem Vortrag vor der Katholischen Akademie in Hamburg wies ich diese Vorwürfe im Mai 1976 scharf zurück. Der Staat schütze die im Grundgesetz festgeschriebenen Grund*rechte*. Diese seien aber nicht zu verwechseln mit den Grund*werten*. Werte würden im gesellschaftlichen Raum ständig neu erprobt. Der Staat garantiere lediglich den Rahmen, in dem diese Debatten geführt werden.

Einerseits muss der Staat den Kernbestand an ethischen Grundüberzeugungen und Werthaltungen schützen, auf denen er selber aufbaut. Andererseits muss er den gesellschaftlichen Wandel nachvollziehen und neu sich bildende sittliche Grundhaltungen berücksichtigen. Aufgabe des Politikers ist es, zu bewahren *und* zu gestalten, das heißt im Kern: zu reformieren. Es kann nicht Sache des Staates sein, in die Wertedebatte etwa dadurch einzugreifen, dass er absterbende Werte zu konservieren versucht. «Der Staat kann ein nicht mehr vorhandenes Ethos nicht zurückholen, und er kann ein nicht mehr vom Konsens der Gesellschaft getragenes Ethos nicht durch Rechtsnorm für verbindlich erklären.»

Während der so genannten Grundwertedebatte blieb ich innerlich gelassen. Ich hatte mein Gewissen gründlich erforscht und wusste, auf welchem sittlichen Fundament meine Entscheidungen beruhten. Geärgert hat mich das Klischee vom «Macher», das damals aufkam und von Politikern wie auch von Intellektuellen, die sich links nannten, in herabsetzender Weise auf mich angewendet wurde. So als ob ich mich weder von sittlichen Werten hätte leiten lassen noch politische Ziele verfolgt hätte, die über den Tag hinausreichten. «Mir ist es lieber, wenn eine Regierung das Richtige tut, als wenn sie nur über das Richtige philosophiert», sagte ich in einem Interview zehn Tage vor der Bundestagswahl 1976. Und vier Jahre später bekräftigte ich in einem von derselben Zeitung veranstalteten Gespräch: «Ein Regierungschef hat in Deutschland nicht die Aufgabe eines Volkserziehers.»

Viel stärker als diese zum Teil aus parteipolitischen und ideologischen Gründen polemisch geführten Angriffe berührte mich eine andere Debatte, die bereits 1960 begonnen hatte und endgültig erst unter meiner Regierung zu einem guten Ende gebracht werden konnte. Ich meine die so genannte Verjährungsdebatte. 1965 lief für nationalsozialistische Mordtaten die nach dem Gesetz gültige Verjährungsfrist von zwanzig Jahren aus. Mordtaten, die erst nach Ablauf dieser Frist bekannt werden würden, könnten dann nicht mehr verfolgt werden – eine für viele schwer erträgliche Vorstellung. 1960 begannen in allen drei Bundestagsfraktionen Überlegungen, wie mit diesem Problem umzugehen sei. Nach mehreren Zwischen-

161

lösungen wurde schließlich 1979 die Verjährung für Mord generell aufgehoben. Ich habe für die Aufhebung gestimmt, aber dafür plädiert, keine Fraktionsdisziplin einzufordern. Das Grundgesetz erlaubte sowohl Zustimmung als auch Ablehnung der Vorlage, und jeder Abgeordnete war nur seinem Gewissen verantwortlich.

Gewissen und Vernunft bilden die Grundlage politischer Entscheidung. Die christliche Theologie meint mit Gewissen das Bewusstsein des Menschen von Gott und der von Gott gewollten Ordnung, zugleich das Bewusstsein von der Sündhaftigkeit jeder Verletzung dieser Ordnung. Das «schlechte» Gewissen war jahrhundertelang allerdings auch ein der Kirche höchst willkommenes Instrument zur Ausübung ihrer Herrschaft. Ich halte mich lieber an Kant, der das Gewissen als «das Bewusstsein eines inneren Gerichtshofes im Menschen» bezeichnet. Kant leitet das Gewissen aus der Vernunft des Menschen ab, für ihn bilden Gewissen und Vernunft keinen Gegensatz. Das Gewissen im Kant'schen Sinne wurde für mich zur obersten Instanz.

*

Es dürfte während meines volkswirtschaftlichen Studiums in der zweiten Hälfte der vierziger Jahre gewesen sein, dass mir eine kleine Schrift des Heidelberger Soziologen Max Weber in die Hände fiel: «Politik als Beruf». Nach Mark Aurels «Selbstbetrachtungen» und Kants Schrift «Zum ewigen Frieden» war dies der dritte bedeutende Text, der meine Vorstellung von Politik nachhaltig prägte und mir bis heute als Orientierung dient. Noch schmaler als die beiden erstgenannten Bücher, ist «Politik als Beruf» eine Art Vademecum, das ich jedem Politiker zur Lektüre empfehle. Der Titel ist im Übrigen leicht missverständlich. Weber meinte nicht den Berufspolitiker, sondern den Politiker aus Berufung; auch ging es ihm weniger um die für die Politik erforderlichen Qualifikationen als um die charakterlichen Voraussetzungen, die ein Mensch, der sich zur Politik berufen fühlt, mitbringen sollte.

Als ich «Politik als Beruf» das erste Mal las, war Max Weber außerhalb seiner Disziplin noch wenig bekannt, heute wird er allseits zitiert – Politik als das «Bohren dicker Bretter» wurde zum geflügelten Wort. Vollständig lautet der Satz: «Politik bedeutet ein starkes langsames Bohren von harten Brettern mit Leidenschaft und Augenmaß zugleich.» Ob die Bretter dick oder hart sind, ist unerheblich. Worauf es ankommt, ist das Begriffspaar Leidenschaft und Augenmaß.

«Politik als Beruf» ist das überarbeitete Manuskript einer Rede, die Weber im Januar 1919 vor Münchner Studenten hielt; in Bayern herrschten unter der Regierung von Kurt Eisner chaotische Zustände. An die Adresse der Linkssozialisten gerichtet, sagte Weber, dass er unter Leidenschaft ausdrücklich «Hingabe an eine ‹Sache›» verstehe. Gemeint sei nicht jene emotionale Aufgeregtheit, die «jetzt in diesem Karneval, den man mit dem stolzen Namen einer ‹Revolution› schmückt, eine so große Rolle auch bei unsern Intellektuellen spielt». Was den Revolutionären fehle, sei vor allem

163

Max Weber, 1864–1920

Augenmaß, die Fähigkeit, «die Realitäten mit innerer Sammlung und Ruhe auf sich wirken zu lassen», kurz gesagt: Distanz.

Wie lassen sich Leidenschaft und Augenmaß miteinander verbinden? Max Weber führt hierzu einen dritten wesentlichen Begriff ein, Verantwortungsgefühl: «Man kann sagen, dass drei Qualitäten vornehmlich entscheidend sind für den Politiker: Leidenschaft – Verantwortungsgefühl – Augenmaß.» Dieser Dreiklang wurde für mich maßgeblich. Allerdings möchte ich den Begriff Verantwortungsgefühl präzisieren. Ich spreche lieber vom Bewusstsein der Verantwortlichkeit, das den Politiker leiten soll – und nicht nur ihn, sondern jeden Bürger.

Aber verantwortlich gegenüber wem? Viele Politiker meinen, der Wähler sei der oberste Souverän, vor ihm hätten sie sich zu verantworten. Mir erscheint diese Aussage leichtfertig. Zum einen entscheiden sich viele Wähler in der Regel für den Politiker, der ihnen verspricht, sich um ihre speziellen Interessen zu kümmern, zum anderen sind Wähler Schwankungen und Stimmungen unterworfen. Vor einigen Jahren habe ich in einem Vortrag an der Augustana, der Kirchlichen Hochschule der Evangelisch-Lutherischen Kirche in Bayern, hierzu ausgeführt: «Eine Regierung ist zunächst dem Parlament verantwortlich. Sie hat auf kritische Fragen zu antworten. Jeder Politiker hat auf kritische Fragen zu antworten. Aber selbst wenn ein Politiker sich mit Erfolg vor einer ganzen Massenversammlung verantwortet, selbst wenn er eine Massenversammlung zu voller und einmütiger Begeisterung hinreißt: Ist damit seine Verantwortung schon erledigt?» Ich verwies auf die beiden Begriffe, deren Bedeutung ich bei Kant gelernt hatte: Vernunft und Gewissen. Ein Staatsmann muss sich auf seine Urteilskraft verlassen und sich sodann vor seinem Gewissen verantworten. Die Vernunft kann sich irren. Aber wer gegen sein Gewissen handelt, untergräbt Moral und Anstand. Eine gewissenlose Politik tendiert zum Verbrechen.

Allerdings gibt es in der Theologie den Begriff des irrenden Gewissens. Von einem irrenden Gewissen ist die Rede, wenn ein Mensch, der sich auf sein Gewissen beruft, sich nicht ausreichend kundig gemacht hat. Ein konkretes Beispiel ist die Friedensbewegung

165

der siebziger und achtziger Jahre. Viele der damals in der Friedensbewegung organisierten vornehmlich jungen Leute folgten zweifellos ihrem Gewissen, aber ihr Gewissen irrte. Man konnte ihnen ihr Gewissen nicht zum Vorwurf machen, denn sie hatten ein gutes Gewissen. Was ihnen fehlte, waren Kenntnis und Überblick. Die Älteren unter ihnen, Gerhard Schröder zum Beispiel, würden ihren damaligen Standpunkt heute für abwegig erklären.

In seinem Vortrag «Politik als Beruf» differenziert Max Weber zwei Typen von Politikern, die sich prinzipiell voneinander unterscheiden: Die einen handeln «gesinnungsethisch», die anderen «verantwortungsethisch». Für Weber ist es «ein abgrundtiefer Gegensatz, ob man unter der gesinnungsethischen Maxime handelt – religiös geredet –: ‹der Christ tut recht und stellt den Erfolg Gott anheim›, oder unter der verantwortungsethischen: dass man für die (voraussehbaren) Folgen seines Tuns selbst aufzukommen hat».

Ich habe diesen Satz 1961 in meinem Buch «Verteidigung oder Vergeltung» zum ersten Mal zitiert. Allerdings will mir nicht einleuchten, dass Weber das Adjektiv «voraussehbaren» in Klammern hinzugesetzt hat. Nach meinem Verständnis ist der Politiker nämlich auch für die Folgen verantwortlich, die er nicht gewollt hat, die er aber zumindest als möglich hätte einkalkulieren müssen. Umso sorgfältiger nämlich wird er abwägen. Die Entschuldigungsfloskel «Das konnte man ja nicht ahnen!» erscheint mir oft wohlfeil. 1961 schrieb ich dazu: «Die Frage nach den Folgen, die der politisch Handelnde sittlich zu verantworten hat, reißt allerdings das ganze Feld der Fragen nach den ethisch gerechtfertigten Zwecken, nach den zweckmäßigen Mitteln, nach den unvermeidlichen Nebenwirkungen und nach dem Zusammenhang von Zwecken, Nebenwirkungen und Mitteln auf – und damit ist des Fragens noch kein Ende.»

Der «Gesinnungsethiker» fühle sich einzig und allein dafür verantwortlich, dass «die Flamme der reinen Gesinnung nicht erlischt», heißt es bei Max Weber. Bringt ihn eine aus reiner Gesinnung getroffene Entscheidung nicht weiter oder führt sie gar zu üblen Folgen, die er keineswegs beabsichtigt hat, dann sucht er die Verantwortung nicht bei sich, sondern macht «die Welt dafür verantwortlich, die Dummheit der anderen Menschen». Die Annahme, dass aus Gutem nur Gutes, aus Bösem nur Böses folge, werde der ethischen Irrationalität der Welt nicht gerecht, so Weber weiter. Sein Eindruck sei, dass man es bei Gesinnungsethikern «in neun von zehn Fällen mit Windbeuteln zu tun habe, die nicht real fühlen, was sie auf sich nehmen, sondern sich an romantischen Sensationen berauschen». Das war sicher hart formuliert. Konkret standen Weber dabei die Glaubenskämpfer jeglicher Couleur vor Augen – «der religiöse wie der revolutionäre» –, insbesondere diejenigen, die sich aus ideologischen oder religiösen Gründen bedingungslos für das Ideal des Friedens einsetzten.

Die Friedensbewegung, die sich nach dem Zweiten Weltkrieg in der Bundesrepublik formierte, ist in den Kategorien von Max Weber ebenfalls als rein gesinnungsethisch zu klassifizieren. Sie reichte von den massiven Protesten der frühen fünfziger Jahre gegen die Wiederbewaffnung über die Kampagne «Kampf dem Atomtod» bis hin zu den Demonstrationen gegen den Nato-Doppelbeschluss zu Beginn der achtziger Jahre. Während ich die Anti-Atom-Bewegung durchaus für berechtigt hielt, ohne die von ihren Anhängern daraus gezogenen Konsequenzen zu teilen, erschien mir die Parole «Lieber rot als tot!» vollkommen töricht. Der ideologische Pazifismus dieser Bewegung war unvereinbar mit den tatsächlichen Herausforderungen. Um dies zu unterstreichen, habe ich mich in meinem Buch «Verteidigung oder Vergeltung» des erwähnten Zitats von Max Weber bedient.

Ich war davon überzeugt, dass die Strategie der nuklearen Abschreckung im Ernstfall zu einer weitgehenden Zerstörung Europas, insbesondere aber Deutschlands, führen würde. Die gegenseitige Bedrohung der Supermächte USA und Sowjetunion mit strategischen Nuklearwaffen stellte kein wirkliches Gleichgewicht dar. In einer sich zuspitzenden Krise – davon war ich überzeugt – würden es beide Seiten auf einen begrenzten Konflikt in Europa ankommen lassen, solange sie damit ihre eigene Auslöschung glaubten verhindern zu können. Daraus zog ich den Schluss, dass es Aufgabe der Nato sei, in Europa nicht weitere (nukleare) Vergeltungsmaßnahmen vorzubereiten, sondern die (konventionellen) Verteidigungseinheiten zu stärken. «Die militärische Strategie hat sich nach politisch vernünftigen Zielsetzungen zu richten ... Die Nato hat sich in Europa auf einen falschen Krieg vorbereitet.»

Für Pazifisten war ein solcher Standpunkt unannehmbar. Aber mit Gottvertrauen allein war das Problem nicht zu lösen – dies hatte ich mit dem Weber-Zitat zum Ausdruck bringen wollen. Wenige Wochen nach Erscheinen des Buches bekam ich einen Brief von Gustav Heinemann. Der spätere Bundespräsident war 1950 aus Protest gegen die Wiederbewaffnung als Innenminister im ersten Kabinett Adenauer zurückgetreten und zwei Jahre später aus gleichem Grund auch aus der CDU ausgeschieden. Seit 1958 gehörte der bekennende Christ und überzeugte Pazifist dem SPD-Bundesvorstand an. Wer gesinnungsethisch von verantwortungsethisch unterscheide, unterliege einem Denkfehler, meinte Heinemann: Gott sei die höchste Realität, vor der sich der Mensch zu verantworten habe, und Gott erlaube den Menschen nun einmal nicht, mit Massenvernichtungswaffen gegen ihresgleichen vorzugehen. Mir erschienen die Weber'schen Kategorien nicht als fehlerhaft, antwortete ich, theologisch sei ich aber leider sehr unbeholfen.

*

Während sich meine Kenntnis von Immanuel Kant und Max Weber auf die genannten kleinen Schriften beschränkt, habe ich von Karl Popper das zweibändige Hauptwerk gelesen: «Die offene Gesellschaft und ihre Feinde». 1902 in Wien geboren, war Popper 1937, ein Jahr vor dem «Anschluss» Österreichs an Deutschland, nach Neuseeland ausgewandert, wo «The Open Society and Its Enemies» entstand. Direkt nach dem

169

Sir Karl Popper, 1902–1994

Krieg wechselte er an die London School of Economics and Social Science. Als ich ihn 1980 in London kennenlernte, war ich bereits weit in Poppers Gedankenwelt eingedrungen. Wir haben uns befreundet und standen bis zu seinem Tod 1994 in Kontakt. Nicht zuletzt die persönlichen Begegnungen mit diesem außerordentlichen – und außerordentlich bescheidenen – Mann haben mich in vielfacher Weise bereichert.

1977 hatte ich Popper zu seinem 75. Geburtstag gratuliert. In seinem Dankesbrief schrieb er mir damals: «In meinen kühnsten Träumen hätte ich nie gedacht, als ich die Open Society schrieb, und auch später, dass mir nach fast vierzig Jahren ein deutscher Bundeskanzler schreiben würde, dass ich den Demokratien des Westens mit meiner Arbeit viel geholfen habe. Alles, was ich hoffte, war, einen kleinen Beitrag zum Kampf gegen den Faschismus zu leisten und vielleicht in der Nachkriegszeit die ärgsten Fehler vermeidbar zu machen.» Welche Bescheidenheit für einen Mann, der den westlichen Demokratien wertvolle Einsichten über die Stärken – und die Gefährdungen! – pluralistischer Gesellschaften geschenkt hat!

Gelesen habe ich «Die offene Gesellschaft und ihre Feinde» in den frühen sechziger Jahren, bald nach Erscheinen der deutschen Ausgabe. Der erste Band unter dem Titel «Der Zauber Platons» hat mich weniger interessiert; es geht im Wesentlichen um Philosophiegeschichte. Im zweiten Band «Falsche Propheten: Hegel, Marx und die Folgen» wird gezeigt, wie im 19. Jahrhundert die deutschen Philosophen Hegel und Marx – unter Berufung auf Platon – das Ideal eines Staates entwarfen, dessen Herrschaft in der Realität zwangsläufig auf Unterdrückung hinauslaufen muss. Durch die Lektüre wurde mir klar, warum mir die Hegel'sche Überhöhung des Staates, vor allem aber die marxistische Vorstellung vom Klassenkampf und von der Diktatur des Proletariats immer unheimlich vorgekommen war. Ich hatte eine gefühlsmäßige Abneigung gegen diese beiden Schlagworte, und Popper hat mich begreifen lassen, dass diese gefühlsmäßige Abneigung rational begründet war.

*

Als im Oktober 1969 die sozialliberale Koalition ihre Arbeit aufnahm, wurden innerhalb meiner Partei Stimmen laut, die auf eine möglichst rasche und umfassende große Gesellschaftsreform drängten. Es kam zu intensiven programmatischen Diskussionen, denn zweifellos brauchte die SPD langfristig ein neues gesellschaftspolitisches Gesamtkonzept. Als stellvertretender Parteivorsitzender übernahm ich zusammen mit meinem Freund Hans Apel und mit Jochen Steffen als Vordenker des linken Flügels den Auftrag, unter dem Stichwort «Orientierungsrahmen» einen ersten Entwurf vorzulegen. Der Entwurf wurde 1973 abgelehnt; die Parteilinke einschließlich der Jusos vermisste sozialistische Gesinnung. In dieser Phase, in der meiner Partei zunehmende Dogmatisierung und Ideologisierung drohten, berief ich mich wiederholt auf Karl Popper. Er hatte den Marxismus als chiliastisches Heilsversprechen widerlegt und gezeigt, dass nur eine schrittweise Reformierung zu dauerhaften gesellschaftlichen Veränderungen führen konnte.

Ende 1974 – ich war inzwischen Bundeskanzler geworden – wurde ich gebeten, für einen Sammelband «Kritischer Rationalismus und Sozialdemokratie» ein Vorwort zu verfassen. Der von jungen Sozialwissenschaftlern herausgegebene Band richtete sich gegen das marxistische Deutungsmonopol der SPD-Linken und wollte zeigen, dass Kant und der kritische Rationalismus Poppers die bessere Alternative waren; auch Popper selbst sowie einige seiner Schüler trugen mit eigenen Aufsätzen bei. Zum Jahreswechsel hatte ich einen kurzen Urlaub auf Mallorca eingeplant. Ich packte Poppers Schriften in meinen Koffer und nutzte die Tage zur Ausarbeitung eines größeren Essays.

Karl Marx habe die Welt durchaus bereichert, schrieb ich. Sein Satz, dass das gesellschaftliche Sein das Bewusstsein bestimme, sei nach wie vor gültig, und noch heute würde ich diesen Satz unterschreiben. Auch die dialektische Methode habe sich als heuristische Methode bewährt – freilich nicht als Weltanschauung, die in Form des dialektischen Materialismus den Sieg des Proletariats prophezeie. In dieser Heilsgewissheit des Marxismus liege vielmehr dessen größte Gefahr. Offene Gesellschaften sind unvereinbar mit den politischen Forderungen einer totalen Utopie, die ein völlig anderes politisches System voraussetzt. Die totale Utopie lässt sich nämlich nur in geschlossenen Gesellschaften verwirklichen, das heißt in totalitären Systemen.

Die Linke führte damals gern das Wort von notwendigen «systemverändernden Reformen» im Munde. Reformen, die unter meiner Regierung auf den Weg gebracht wurden, wurden hingegen als «systemstabilisierende» Maßnahmen abqualifiziert. Jede Reform bewirke eine Veränderung des Bestehenden und damit letzten Endes auch des Systems, hielt ich dagegen. Wer den gesellschaftlichen Fortschritt wolle, könne deshalb gar nicht anders, als «systematisch und schrittweise viele Einzelprobleme anzupacken und die Veränderungen ‹Stück für Stück› – entsprechend dem von Karl Popper empfohlenen *piecemeal social engineering* – in konkreten Reformschritten herbeizuführen». Jedem Schritt aber muss ein ausreichender

Konsens zugrunde liegen, das heißt ein Kompromiss vorausgehen.

In einem wichtigen Punkt habe ich mich damals von Popper abgegrenzt. Popper bezweifelt, dass sich aus Einzelbeobachtungen allgemeine Gesetze oder auch nur Wahrscheinlichkeitsberechnungen ableiten lassen. Jede Erklärung müsse vielmehr so formuliert werden, dass sie an der Realität überprüft und gegebenenfalls widerlegt werden könne. Popper nannte diese Methode Falsifizierung. Die Falsifizierungstheorie bildet den Kern seines kritischen Rationalismus. Eine Aussage, die zum gegenwärtigen Zeitpunkt nicht falsifizierbar ist, aber eines Tages falsifizierbar werden könnte, ist für Popper als Arbeitshypothese zulässig: die berühmten schwarzen Schwäne. Nicht zulässig sind für ihn Aussagen, die prinzipiell nicht falsifizierbar sind.

Mir will diese Theorie noch immer nicht einleuchten. Die Relativitätstheorie hatte sich in einer klar abgegrenzten experimentellen Situation überprüfen lassen. Aber Gesellschaftskritik findet nicht unter Laborbedingungen statt; eine utopische Gesellschaftstheorie lässt sich durch empirisch gesicherte Fakten nur schwer widerlegen. Popper wollte mit der Falsifizierung die dialektische Methode aushebeln, deren Determinismus ihm mit Recht tief suspekt war. Diese Absicht habe ich verstanden. Gleichwohl bleibe ich dabei: Wo es um Fragen des gesellschaftlichen Fortschritts geht, sind so viele Faktoren – und Unwägbarkeiten – einzukalkulieren, dass man vor allem auf die Kraft des Arguments vertrauen sollte.

Kurz bevor ich Popper zum ersten Mal begegnete, hatte er einen Vortrag in Salzburg gehalten und dort die Frage aufgeworfen: «Was können wir tun, um unsere politischen Institutionen so zu gestalten, dass schlechte oder untüchtige Herrscher (die wir natürlich zu vermeiden suchen, aber trotzdem nur allzu leicht bekommen) möglichst geringen Schaden anrichten?» Hier knüpfte unser Gespräch an. Poppers Antwort deckte sich mit meinen Überzeugungen. Wenn Politik rational handelt, behutsam Schritt für Schritt vorgeht, um einzelne konkrete Missstände abzustellen, und die Ergebnisse fortwährend kritisch überprüft, ist die Gefahr des Scheiterns geringer. Vor allem sind dann weniger Menschen von möglichen negativen Folgen betroffen, als wenn alles auf einmal autoritär durchgesetzt wird.

Anderthalb Jahre vor seinem Tod, im April 1993, besuchte ich Popper ein letztes Mal. Er empfing mich in seinem Haus außerhalb Londons. Unser Gespräch wurde damals aufgezeichnet, in meinem Buch «Weggefährten» habe ich eine längere Passage daraus wiedergegeben. Wir sprachen über Verantwortung, und ich zitierte einen mir wichtigen Satz aus der Präambel der Verfassung meiner Vaterstadt Hamburg, in der es heißt: «Jedermann ist sittlich verpflichtet, zum Wohl des Ganzen beizutragen.» Popper haderte mit dieser Formulierung; sie könne von den falschen Leuten leicht missbraucht werden, und die Nazis hätten das ja auch getan. Er würde stattdessen lieber sagen: «Jedermann hat eine entscheidend große Verantwortung dafür, dass sein Leben auch Einfluss hat auf das

175

Leben aller anderen.» Das war, aus dem Stegreif formuliert, nichts anderes als eine Neufassung des Kant'schen Imperativs. Bei allem, was ich tue, muss ich die Wirkung mitbedenken, die mein Handeln auf andere hat.

Als sich Poppers Gesundheitszustand im September 1994 rapide verschlechterte, wollte ich ihm noch einmal meinen Dank abstatten: «Meinen anderen Lehrern Mark Aurel und Immanuel Kant bin ich nur durch deren geschriebene Worte begegnet, Ihnen aber von Person zu Person ... Ich bin noch einmal auf die Kardinaltugenden des Thomas von Aquin gestoßen: Klugheit, Gerechtigkeit, Tapferkeit und Maß (temperantia). Sie können für sich in Anspruch nehmen, allen diesen Tugenden gemäß gelebt und besonders Klugheit und Maß miteinander verschwistert zu haben. Ich war und bin und bleibe Ihnen für Ihr Vorbild dankbar. Ich wünsche Ihnen Frieden.» Meine Worte erreichten den Freund am Tag vor seinem Tod.

Auf dem Flügel in unserem Wohnzimmer lag viele Jahre eine Handschrift von Karl Popper: eine eigene Komposition, die er mir bei einem meiner Besuche in England geschenkt hat. Die Musik war ein Thema, das uns von der ersten Stunde an verband. Er liebte Bach, Mozart und Beethoven, spielte Klavier und interessierte sich sehr für musikalische Fragen. Die alten Meister hätten ein hohes Verantwortungsgefühl für ihre Kunst gehabt. Bei Bach komme diese Verantwortung darin zum Ausdruck, dass er sagt: Alle echte Musik muss Gott dienen und muss eine Art Gottesdienst sein.

Poppers Komposition erinnert mich an einen bedeutenden Mann, der mir seine Freundschaft schenkte. Ich kann kein Klavier mehr spielen, weil ich die Töne nur noch als unerträgliche mechanische Geräusche wahrnehme. Aber wenn ich den Blick auf eine Partitur werfe, weiß ich, wie das Stück klingen würde. Und die Komposition von Popper würde ich so zu spielen versuchen, wie er es sich gewünscht hätte.

Lehrer des Staates – Grundlagen
der Demokratie

Die Geschichte der athenischen Demokratie steht mir ziemlich klar vor Augen. Sie dauerte nicht einmal anderthalb Jahrhunderte, von der Mitte des 5. Jahrhunderts bis 322 vor Christus, als einer der Nachfolger Alexanders des Großen die Stadt besetzte und wieder eine Adelsherrschaft etablierte. Hundertfünfzig Jahre, das ist eine relativ kurze Phase. Einiges wurde später von den Römern übernommen, aber zum größeren Teil ging die Demokratie als Staatsform unter. Wieder erweckt wurde sie mit der amerikanischen Unabhängigkeitserklärung im Jahre 1776. Dazwischen ist nirgendwo Demokratie, weder in Europa noch auf anderen Kontinenten, weder im weltlichen noch im kirchlichen Bereich. Für mich ist die attische Demokratie eine leuchtende Erscheinung, ein Wunder, das zweitausend Jahre zu früh kam.

Athen war eine direkte Demokratie. Das heißt, alle Bürger, soweit sie Bürgerrechte besaßen, hatten das Recht zu wählen, und alle Stimmen zählten gleich. Allerdings handelte es sich bei den stimmberechtigten Bürgern um eine kleine Minderheit von knapp zehn

Perikles,
um 490–429 v. Chr.

Prozent der Einwohner. Zu den Vollbürgern zählten
natürlich die Aristokraten, aber auch einfache Leute,
Handwerker und Gewerbetreibende, bis hinunter zu
denen, die die Schiffe ruderten. Frauen besaßen kein
Stimmrecht, ebenso wenig die große Gruppe der
Fremden, die so genannten Metöken, die zwar Wohn-
recht, aber keine politischen Rechte in Athen hatten.
Die Sklaven hatten gar keine Rechte. Die Zahl der
athenischen Vollbürger in der zweiten Hälfte des
5. Jahrhunderts lag etwa bei 20 000 bis 25 000, die Ge-
samteinwohnerzahl Attikas wird auf etwa 300 000 geschätzt.

Die Blüte der attischen Demokratie ist untrennbar
mit dem Namen Perikles verbunden (490 – 429 v. Chr.).
Das Erstaunliche für mich ist zunächst, dass er in seiner Funktion als Militärbefehlshaber (Stratege) Jahr

für Jahr wiedergewählt wurde, insgesamt fünfzehnmal hintereinander. Offensichtlich genoss er so viel Vertrauen in der Volksversammlung, dass er die Mehrheit stets aufs Neue von seinen nächsten Plänen zu überzeugen vermochte. Dabei kam ihm zweifellos zugute, dass er ein brillanter Redner war; vielleicht wurde er vor allem deswegen fünfzehnmal gewählt. Er war ein Meister der Rede, und seine Reden verschafften ihm das Vertrauen des Volkes.

Nicht alle Entscheidungen des Perikles haben sich bewährt. Nach der Abwehr der Perser hatte man mit dem Bau der «langen Mauern» begonnen; sie sollten die etwa sieben Kilometer lange wichtigste Verbindung der Stadt mit dem Hafen Piräus sichern. Zwanzig Jahre später, als die Persergefahr gebannt war, wurde der Bau der Mauern unter Perikles vollendet. Durch die Perserkriege war Athen inzwischen zur führenden Macht des Attischen Seebundes geworden, und die Mauern dienten jetzt vor allem der Verteidigung gegen den Erzrivalen Sparta. Die spätere Niederlage Athens im Peloponnesischen Krieg, die Perikles nicht mehr erleben musste, wurde durch die Mauern nicht verhindert. In meinen Augen waren die langen Mauern ein ziemlich verrücktes Projekt, weil relativ leicht angreifbar; jedenfalls handelte es sich um eine schnell vergängliche Investition. Ganz anders als die Bauten auf der Akropolis, die noch heute unsere Bewunderung hervorrufen. Die Leitung dieses Bauprogramms hatte Perikles dem mit ihm befreundeten Bildhauer Phidias übertragen. Weil die politischen Gegner Perikles nicht beikamen, versuchten sie ihn durch Diffamierung seiner Lebensgefährtin Aspasia als Hetäre zu treffen.

Wenn man die attische Demokratie vorbildlich nennt, muss man sogleich zwei gewichtige Einschränkungen hinzufügen. Die Tatsache, dass nur rund ein Zehntel der Bevölkerung stimmberechtigt und das Bürgerrecht an die Tatsache geknüpft war, dass beide Eltern Athener waren, bedeutete eine erhebliche Benachteiligung breiter Bevölkerungsschichten. Vor allem aber sind die Größenverhältnisse nicht vergleichbar. Perikles rühmte die Demokratie so: «Einzig bei uns Athenern heißt einer, der keinen Anteil an öffentlichen Angelegenheiten nimmt, nicht ein ruhiger Bürger, sondern ein schlechter Bürger.» Das ist, für sich genommen, ein wunderbarer Satz, der dem heutigen Ideal der Bürgergesellschaft scheinbar sehr nahe kommt: Alle, die Stimmrecht haben, sollen sich auch zu den öffentlichen Angelegenheiten im Sinne der *Res publica* verhalten.

Ich erinnere hier aber einmal an die Unterscheidung, von der ich bereits sprach. Eine Kommunalwahl, eine Wahl zum Gemeinderat oder zum Bürgermeister der Stadt, eine Wahl zum Kreistag oder auch zum Landtag hat mit Politik in Wirklichkeit nicht viel zu tun. Die Leute, die sich zur Wahl stellen, heißen zwar Politiker, aber der Bürgermeister von Pinneberg ist ebenso wenig Politiker wie der Kreistagsabgeordnete in der Uckermark. Seine Tätigkeit wird zwar auch Politik genannt. Wir müssen jedoch unterscheiden zwischen dem staatlichen Personal insgesamt und der politischen Klasse. Der Ausdruck «politische

Klasse», der aus dem Französischen stammt, ist unzureichend, aber ich weiß keinen besseren, um den erheblichen Unterschied anzudeuten zwischen dem Personal, das gewählt wird, sich um die täglichen Belange der Einwohner zu kümmern, und denen, die politische Verantwortung für die Polis als Ganzes tragen sollen.

Das Ideal des Perikles konnte in einer Stadt mit 25 000 Vollbürgern als verbindliche Norm angesehen werden. In einem Land mit 80 Millionen Einwohnern kann die Forderung nach Partizipation aller Wahlbürger keine Gültigkeit beanspruchen. Jeder Bürger hat das Recht, unpolitisch zu sein; er ist nicht einmal verpflichtet, zu Wahlen zu gehen; dass dann in den Parlamenten mitunter solche politischen Kräfte überproportional vertreten sind, die er am wenigsten gewollt hat, nimmt er in Kauf. Wenn ich dennoch am Ideal des Perikleischen Zeitalters festhalte, dann nicht nur aus Sentimentalität für die alten Griechen. Die Teilhabe jedes einzelnen freien Bürgers an der gemeinsamen Sache bleibt eine erstrebenswerte Utopie. Insofern nenne ich die Leistung des Perikles beispielhaft, ein Exemplum.

Es ist ein Irrtum zu glauben, die Bürger seien insbesondere dann in der Pflicht, wenn die Demokratie in Gefahr ist. Erstens erkennen die meisten Bürger gar nicht, wenn tatsächlich Gefahr droht; zweitens verfallen die meisten Bürger in Zeiten, in denen es stürmisch zugeht, schnell in einen kollektiven Rausch. Überall sind sie mit Begeisterung in den Ersten Weltkrieg gezogen, nicht nur in Deutschland und Österreich, auch in Frankreich, auch in England, dem Mutterland der modernen Demokratie. Die Mehrheit bedarf der Führung. Von einer schlechten Führung lässt die Mehrheit sich leider auch schnell *ver*führen. Das gilt nicht nur für die breite Masse, sondern es gilt genauso für Intellektuelle oder für Wohlhabende: Bildung und Wohlstand schützen nicht vor Fehlurteil.

Perikles hat die athenische Demokratie zur Vollendung geführt, im Guten wie im Schlechten. Im Guten, indem er den einfachen Leuten Rechte verschaffte. Im Schlechten, indem er die einfachen Leute dazu brachte, die imperialistische Politik der Stadt Athen in Gestalt des Attischen Seebundes mehrheitlich gutzuheißen, weil sie dem Volk von Athen Einnahmen verschaffte. Mit großem taktischen Geschick hat er die übrigen Mitglieder des Seebundes unter Druck gesetzt und ausgebeutet. Aus diesen Einnahmen hat er nicht nur das gewaltige Bauprogramm der Akropolis finanziert, sondern auch den Wohlstand Athens gesichert. Alles zusammen war erfolgreiche Machtpolitik. Aber die Bauwerke, die er auf der Akropolis errichten ließ, stehen noch nach zweieinhalb Jahrtausenden.

*

So wie sich die athenische Demokratie für mich in der Person des Perikles verdichtet, so hat sich mir die römische Republik durch Marcus Tullius Cicero (106–43 v.Chr.) erschlossen. Der berühmte Redner, der als Anwalt und Politiker zum Gegenspieler Cäsars wurde, hat die lateinische Prosa zum Höhepunkt geführt; mit ihm beginnt das von den Philologen so genannte Zeitalter der goldenen Latinität. Jahrhundertelang galt Cicero als stilistisches Vorbild, für die Humanisten war er die Autorität schlechthin.

Unter den zahlreichen von Cicero geprägten Formeln und Begriffen, die heute noch benutzt werden, hat mich der Satz «Salus publica suprema lex» immer am meisten fasziniert. Im Original lautet er korrekt: «Salus populi suprema lex esto» – Das Wohl des Volkes sei das höchste Gesetz. Ich weiß nicht, wie und wann aus dem Wort «populus» (Volk) das Wort «publica» (öffentlich) wurde; das öffentliche oder allgemeine Wohl scheint mir jedenfalls der umfassendere Begriff. In meinen Augen unterstreicht dieser Satz, dass Cicero demokratisch dachte.

«Salus publica suprema lex» wurde mir zu einer wichtigen Maxime des politischen Handelns. Ich möchte den Satz jedem Politiker ans Herz legen. Jeder, der politische Verantwortung trägt, muss seine Entscheidung letzten Endes unter diesem Gesichtspunkt treffen: Dient das, was ich will, dem allgemeinen Wohl, welche Interessen stehen dagegen, kann ich meine Entscheidung nach Abwägung aller Argumente verantworten?

Es gehört zu den mühsamen Aufgaben der politischen Klasse, unpopuläre Maßnahmen durchzusetzen und den Bürgern zu erklären, dass diese im Sinne des Allgemeinwohls notwendig sind. Mit Blick auf das nächste Wahlergebnis verschließen manche Politiker lieber die Augen vor der Realität. Zu den unpopulärsten Entscheidungen, die gegenwärtig anstehen, ge-

Cicero,
106–43 v. Chr.

hört, die Europäer dazu zu bringen, sich auf eine gemeinsame Einwanderungspolitik zu verständigen.
Europa ist das Zielland von Millionen von Menschen
aus dem Nahen und Mittleren Osten, aus dem
Maghreb, aus Schwarzafrika. Sie alle drängen nach
Europa, denn hier gibt es einen unglaublichen Wohlstand. Aber unsere Politiker drücken sich davor, die
nötigen Konsequenzen zu ziehen.

Es gehört zu den unvermeidlichen Schwächen der
Demokratie, dass nicht wenige Entscheidungen im
Hinblick auf die nächste Wahl getroffen werden. Poli-
tik ist in der Regel auf maximal vier oder fünf Jahre

angelegt, und die Verführungen zu opportunistischem Verhalten sind erheblich. Es zeichnet politische Führer wie Churchill, de Gaulle oder Adenauer aus, dass sie nicht nur die nächste Wahl, sondern auch das langfristig Notwendige im Blick hatten. Der Trend, nur noch in Legislaturperioden zu denken, hat seither erheblich zugenommen. Die letzte mutige Entscheidung eines deutschen Regierungschefs, der notwendige Reformen gegen heftige Widerstände durchgesetzt hat, liegt jetzt fast zwölf Jahre zurück: die Agenda 2010 von Gerhard Schröder.

Um unbequeme Entscheidungen durchzusetzen, braucht man Autorität. Nur ein Staatsmann, der mit Autorität spricht, kann auch führen. Kompetenz, Rednergabe, Berechenbarkeit und persönliche Integrität sind Faktoren, aus denen Autorität erwachsen kann. Gleichwohl bleibt Autorität ein vieldeutiger Begriff. Ein Amtsrichter oder auch ein Landgerichtsrat am Landgericht hat von Amts wegen eine gewisse Autorität. Aber aufgrund seiner Amtsautorität würde ihm niemand politische Autorität zusprechen. Ähnliches gilt für Ärzte, Lehrer und viele weitere Berufe: Das Amt allein verhilft keinem Menschen zu Autorität.

Andererseits erwarten die Menschen von einem Amtsträger eine gewisse Autorität. Sie sind grundsätzlich bereit, ihm aufgrund seines Amtes Respekt entgegenzubringen. Aber der Amtsträger muss den mit dem Amt verbundenen Erwartungen auch gerecht werden und sein Amt einigermaßen ausfüllen; zwischen der Autorität des Amtes und seiner persönlichen Autorität darf keine allzu große Lücke klaffen.

Wir haben einen solchen Fall erlebt, als Ludwig Erhard 1963 Bundeskanzler wurde. Erhard war ein erstklassiger Ökonom, insbesondere für die Jahre 1948 bis 1953, und als Wirtschaftsminister maßgeblich an der Einführung der Sozialen Marktwirtschaft beteiligt. Aber seine Kompetenz beschränkte sich ausschließlich auf das Ökonomische. Das Amt des Bundeskanzlers hat er nicht ausfüllen können, jenseits der Ökonomie hat er keine Autorität gewinnen können.

Auch Helmut Kohl besaß in den ersten Jahren seiner Kanzlerschaft nur eine geringe Autorität. Erst mit seinem Zehn-Punkte-Programm vom 28. November 1989 verschaffte er sich international Ansehen, und zwar sowohl bei Gorbatschow als auch bei Bush senior. Wenn man diese Rede heute liest, wundert man sich über die Reichweite, die sie erzielte, aber drei Wochen nach dem Mauerfall war sie eine Glanzleistung: Kohl zwang Nato und Warschauer Pakt, sich der Tatsache zu stellen, dass der Kalte Krieg zu Ende ging. Das hat er fertiggebracht. Seine spätere Verstrickung in die CDU-Spendenaffäre wiegt dagegen leicht, weil es sich um eine rein innenpolitische Angelegenheit handelte; ich möchte Kohl zugutehalten, dass er im Grunde ein anständiger Politiker gewesen ist.

Im Fall von Willy Brandt war es im Zeitablauf umgekehrt wie bei Kohl. Brandt hatte während seiner ersten vier Jahre als Kanzler große Autorität. Für die erste Ölkrise des Jahres 1973, die gleichzeitig weltweit zu einer Inflationskrise wurde, hatte er nicht die notwendige ökonomische Entschlusskraft (ich war bereits sein dritter Finanzminister!).

Es gibt Situationen, in denen ein Politiker vor der Alternative steht, gegen seine Überzeugung zu handeln oder zurückzutreten. Das jüngste Beispiel – hier in Hamburg – ist der Rückkauf des Stromnetzes. In einem Volksentscheid hat die Mehrheit dafür gestimmt, dass die Stadt die Netze von Vattenfall zurückkaufen soll. Der Bürgermeister hat sich vergeblich dagegen gewandt, aber das Volk wollte es so. Olaf Scholz ist deswegen nicht zurückgetreten, die Sache war ihm nicht wichtig genug; sondern er hat den Rückkauf zügig abgewickelt. Er hat klar gemacht, dass er nachgibt und das Gesetz ausführt, obwohl er es für falsch hält. Mit dieser Haltung kann er vor sich selbst bestehen und braucht sich weder Opportunismus noch Unzuverlässigkeit vorwerfen zu lassen.

Als ich 1969 Verteidigungsminister wurde, stand ich vor einem ähnlichen Dilemma. Ich hatte die Militärstrategie der Nato mitzutragen, obwohl ich wusste, dass sie im Falle ihrer tatsächlichen Anwendung auf gegenseitige atomare Vernichtung hinauslief. Die Verteidigungsstrategie wurde offiziell «flexible response» genannt und folgte dem Grundsatz: Auf einen sowjetischen Angriff reagieren wir je nach Lage des Falles, also flexibel. In Wirklichkeit fehlten dem Westen Soldaten, um auf eine ernste Bedrohung anders als mit Nuklearwaffen reagieren zu können. Obwohl die Strategie der massiven Vergeltung abgeschafft worden war, setzte man wegen der zahlenmäßigen Unterlegenheit weiterhin auf nukleare Abschreckung. Teil dieser Abschreckung waren Atomminen, die man entlang der innerdeutschen Grenze vergraben wollte.

Während ich nach außen die Nato-Strategie vertrat, arbeitete ich gleichzeitig daran, mit Hilfe meines amerikanischen Amtskollegen Melvin Laird die entsprechenden Pläne verschwinden zu lassen. Mel war ein zuverlässiger Partner, ein Patriot, ein Mann vom Typ Peter Struck.

Ein gewisses Maß an Opportunismus ist in der Politik unvermeidlich. Wo im Einzelfall die Grenze des Zulässigen verläuft, ist schwer zu bestimmen. Alle Politiker sind am Machterhalt interessiert und achten auf die Wirkung, die sie erzielen. Dennoch darf Eitelkeit nicht die erste Rolle spielen, nicht einmal die zweite. Machterhalt, Eitelkeit und Opportunismus hängen eng zusammen. In Anknüpfung an Cicero würde ich deshalb sagen, das Gemeinwohl darf niemals hinter den persönlichen Interessen zurückstehen.

*

Welche Voraussetzungen sollte ein Politiker mitbringen, welchen Mindestanforderungen sollte er genügen? Als selbstverständlich setze ich voraus: eine gewisse Intelligenz, Disziplin und Fleiß sowie ein hohes Pflichtbewusstsein. Außerdem sollte ein Politiker einen Beruf erlernt und auch eine Zeitlang praktiziert haben. Er sollte Englisch und möglichst eine weitere Fremdsprache beherrschen, und er sollte viel reisen.

Gestützt auf Max Weber, habe ich im vorigen Kapitel drei Eigenschaften hervorgehoben. Ein Politiker sollte Leidenschaft und Augenmaß besitzen, vor allem aber ein Bewusstsein dafür entwickeln, dass er die

Folgen seines Handelns selbst zu verantworten hat – einschließlich der nicht beabsichtigten Wirkungen. In dieser Aufstellung fehlt jedoch eine entscheidende Qualität, die jeder mitbringen muss, der in die Politik strebt: die Fähigkeit zum Kompromiss und der Wille zum Frieden. Statt auf Max Weber hätte ich mich auch auf Thomas von Aquin beziehen können, der vier Kardinaltugenden unterschied: Klugheit, Gerechtigkeit, Tapferkeit – heute vielleicht besser Standhaftigkeit genannt – und Maß beziehungsweise Mäßigung. Diese Tugenden sind bei einem Politiker ebenfalls erwünscht. Aber auch hier fehlt die entscheidende Tugend: die Fähigkeit zum Kompromiss, der Wille und die Bereitschaft zum Frieden.

Für vielerlei Entscheidungen sind Mehrheiten erforderlich; und Mehrheiten liegen immer Kompromisse zugrunde. Ohne den prinzipiellen Willen und die tatsächliche Fähigkeit zum Kompromiss ist Demokratie nicht möglich. Der Wille zum Frieden ist eng damit verwandt, er ist gewissermaßen Kompromissbereitschaft auf einer höheren staatlichen Ebene. Für viele ist der Wille zum Frieden das höchste Gebot. So auch für mich. Aber dieses Gebot ist nicht immer und nicht um jeden Preis einzuhalten.

Ein lehrreiches Beispiel ist der aktuelle Streit um die Krim, um die Ukraine als Ganzes und um die Ostukraine. Hier sind die gegenwärtigen «Sleepwalker» völlig unsicher, was sie tun sollen. Die Krim ist ihnen offenbar keinen Krieg wert. Aber die Ukraine ist auch für Russland keinen Krieg wert. Möglicherweise führen die Separatisten in der Ostukraine jedoch seit einem Jahr einen bewaffneten Konflikt. Inzwischen haben die Schlafwandler den Ukrainekonflikt auf das Feld der Ökonomie verlagert; gleichwohl ist die Gefahr eines großen Krieges keineswegs gebannt. – Die Ukraine ist allerdings nur einer der möglichen Kriegsschauplätze. Das Machtgefüge der Welt ist insgesamt in Bewegung!

Frieden meint aber nicht nur das Verhältnis der Staaten und Völker oder der Religionen untereinander, sondern ebenso den Frieden nach innen, den wir heute sozialen Frieden nennen. Der soziale Frieden ist eine der entscheidenden Ursachen dafür, dass es uns Deutschen heute gut geht, besser als je zuvor und, gemeinsam mit den Holländern, den Skandinaviern, den Österreichern, besser als den meisten anderen Völkern in Europa. Dieser soziale Frieden beruht zu einem wesentlichen Teil auf der Mitbestimmung. Diese durchgesetzt zu haben, ist nicht zuletzt das Verdienst der Gewerkschaften. Am Anfang stand Hans Böckler, den ich persönlich nicht mehr erlebt habe. Er war es, der die Wiedereinführung von Richtungsgewerkschaften verhinderte und noch vor Gründung der Bundesrepublik die wichtigsten Einzelgewerkschaften zum Deutschen Gewerkschaftsbund zusammenfasste. Zu erinnern ist hier auch an Eugen Loderer, in meiner Regierungszeit Vorsitzender der IG Metall, und an Hermann Rappe, der die Diskussionen um die Vorbereitung und Einführung des Mitbestimmungsgesetzes 1976 maßgeblich mitgestaltet hat.

Aber Kritik darf an dieser Stelle nicht fehlen. Dass

Bonifikationen und Gehälter von Bankvorständen

und Konzernvorständen im letzten Jahrzehnt auch in Deutschland in astronomische Höhen geklettert sind, ist ein Versagen auch der Gewerkschaften, die diese Entwicklung zugelassen haben. Sie haben sich damit ihre sozialen Verbesserungen erkauft – es war eine Art Tauschgeschäft. Vor zehn Jahren wäre keiner auf die Idee gekommen, dem Vorstandsvorsitzenden von VW 15 Millionen Euro Gehalt zu zahlen. Ich kenne keinen aktienrechtlichen Vorstand eines börsennotierten Unternehmens, der sich im Sinne des Gemeinwohls verdient gemacht hat. Aber vielleicht täusche ich mich, vielleicht wirken manche im Stillen; ich will hier an Hans L. Merkle und Berthold Beitz erinnern, angestellte Manager, die sich in vorbildlicher Weise dem Gemeinwohl verpflichtet fühlten.

Eine weitere Merkwürdigkeit will ich bei dieser Gelegenheit erwähnen. In letzter Zeit haben zahlreiche amerikanische und nichtamerikanische Banken mit der US-Bankenaufsicht Vergleiche über mehrere Milliarden Dollar geschlossen. Damit haben sie indirekt anerkannt, dass ein schwerer Gesetzesverstoß vorliegt. Weitere solcher Vergleiche in Milliardenhöhe dürften folgen. Aber bisher wurde keiner aus den Chefetagen dieser Banken angeklagt. Die Institute zahlen Milliarden Dollar, aber kein Verantwortlicher wird vor Gericht gestellt. Mit Ausnahme von Bernard Madoff, der jedoch nicht im Vorstand einer Bank saß, sondern einen Investmentfonds leitete, sind Banker bisher nicht verurteilt worden.

Zahlreiche Manager in großen deutschen Unternehmen klagten zu Beginn des 21. Jahrhunderts laut über den «Standort Deutschland», der sie im internationalen Wettbewerb angeblich unnötig benachteilige. Sie sprachen abwertend vom Sozialstaat als «Sozialklimbim» und zeigten wenig Verständnis für ihre Belegschaften. Die Soziale Marktwirtschaft war in ihren Augen ein Widerspruch in sich. Heute sind diese Kritiker sehr viel leiser geworden.

Tatsächlich ist der westeuropäische Sozialstaat von Italien bis Skandinavien die große Errungenschaft des europäischen Kulturkreises im 20. Jahrhundert. Nur eine sozial gebändigte kapitalistische Marktwirtschaft – Privateigentum und Markt auf der einen Seite und auf der anderen Seite soziale Sicherheit für die kleinen Leute plus deren angemessene Beteiligung am Wachstum plus Betriebsrat und Mitbestimmung – sichert auf Dauer den inneren Frieden.

Viele von denen, die abfällig über den Sozialstaat reden, sind angestellte Manager von Aktienkonzernen, keine Eigentümer-Unternehmer. Sie nennen sich zwar gern Unternehmer, tatsächlich aber haben sie das von ihnen geleitete Unternehmen nicht selbst geschaffen, sondern sie sind von ihm auf Zeit angestellt. Sie riskieren nicht ihr eigenes Vermögen, sondern höchstens den eigenen Aufstieg bis in die höchstbezahlte (oft überbezahlte) Spitzenstellung als Vorstandsvorsitzender oder als Hauptgeschäftsführer.

Gott sei Dank gibt es in Deutschland viele verantwortungsbewusste Eigentümer-Unternehmer (und auch manche Manager), die ihre Verantwortung nicht allein im Blick auf die Rendite wahrnehmen. Bekannte Beispiele für Eigentümer, welche die Erträge ihrer

Firmen unwiderruflich einer gemeinnützigen Stiftung übertragen haben, sind Bosch, Krupp, Bertelsmann, Hertie, Körber oder Toepfer. In Hamburg gibt es besonders viele Stifter, sie entsprechen damit hanseatischer Tradition. Einer von ihnen war Werner Otto: für mich das Ideal eines verantwortungsbewussten Unternehmers, der auf der Grundlage seiner Erfolge viel für das öffentliche Wohl getan hat. Der Anlass unserer Bekanntschaft war bezeichnend. Werner Otto hatte als mittelständischer Unternehmer einen Kinderspielplatz gestiftet, bei dessen Einweihung der damalige hamburgische Innensenator mitwirken musste. Aus der Bekanntschaft entwickelte sich zunächst gegenseitige Sympathie, und im Laufe der Jahre sind wir Freunde geworden.

Nach Kriegsende hatte Werner Otto in Hamburg zunächst eine kleine Schuhfabrik gegründet, die er nach der Währungsreform aufgeben musste. Im Sommer 1949 begann er dann einen Versandhandel aufzubauen – mit vier Mitarbeitern; die Bilder im ersten Otto-Katalog haben seine Mitarbeiter und er noch mit der Hand eingeklebt! Später nahm er Partner auf, um die Kapitalbasis zu verbreitern, begann sich auf neuen Feldern zu engagieren und legte die Fundamente für einen Weltkonzern. Bereits in den sechziger Jahren zog sich Werner Otto aus dem Vorstand und anderthalb Jahrzehnte später auch aus dem Aufsichtsrat zurück. Er übergab den Stab an seinen Sohn Michael, der das Unternehmen wesentlich vergrößert und global aufgestellt hat und auch die Verpflichtungen des Stifters im Sinne seines Vaters weiterführt.

195

«Eigentum verpflichtet. Sein Gebrauch soll zugleich dem Wohle der Allgemeinheit dienen», heißt es in Artikel 14 des Grundgesetzes. Werner Otto hat diesen Artikel gelebt, er hat sich vielfältig für das öffentliche Wohl engagiert. Man darf hoffen, dass diese Tradition auch im 21. Jahrhundert für viele deutsche Eigentümer-Unternehmer vorbildlich bleibt.

Europäische Patrioten: drei Franzosen

Am 7. September 1962 besuchte der französische Staatspräsident Charles de Gaulle Hamburg. Ich war als Innensenator für seine Sicherheit verantwortlich und erlebte diesen Tag in höchster Anspannung. Er fuhr im offenen Wagen vom Flughafen über die Alsterkrugchaussee zum Rathaus, das sind elf Kilometer. Tausende Menschen säumten die Straßen, und der General ließ immer wieder anhalten, um Hände zu schütteln. In der Ausnutzung solcher Effekte war er sehr geschickt. Ich stand am Rathaus und machte mir große Sorgen.

Im Kaisersaal des Rathauses stellte de Gaulle sich unter das große Bild, auf dem Mitglieder eines früheren Senats verewigt sind; sie tragen weiße Halskrausen, als ob sie aus dem Spanien des späten Mittelalters kämen. De Gaulle hatte diesen Platz meinem Eindruck nach bewusst gewählt. So überragte er nicht nur die ihn Umstehenden, sondern erreichte auch fast die Größe der gemalten Senatoren hinter ihm. Mir hat das einen unvergesslichen Eindruck gemacht. In drei großen Reden hat de Gaulle den Deutschen damals

Charles de Gaulle,
1890–1970

geschmeichelt; die erste hielt er im Rathaus, die zweite in der Handelskammer und die dritte in der Führungsakademie der Bundeswehr. Er sprach weithin frei, ohne Manuskript und auf Deutsch. Auch der oft zitierte Satz, mit dem er die Deutschen ganz besonders begeisterte, fiel an diesem Tag: «Sie sind ein großes Volk!»

De Gaulle hatte eine Vorstellung davon, dass die Deutschen, die jahrhundertelang ohne eigenen Nationalstaat waren, einen bedeutenden Beitrag zur europäischen Zivilisation geleistet hatten; er war davon überzeugt, dass ihnen auch beim Aufbau des neuen Europa eine wichtige Rolle zufiel. Er hat alte Ressentiments überwunden und den Deutschen die Hand entgegengestreckt. Sein Wille zur Versöhnung mit den Deutschen führte 1963 zum Élysée-Vertrag, der seit nunmehr einem halben Jahrhundert die stabile Grundlage der deutsch-französischen Partnerschaft ist.

Für de Gaulle war es allerdings selbstverständlich, dass die Deutschen sich den französischen Wünschen unterzuordnen und im Zweifel zu gehorchen hätten. Dass die Deutschen stattdessen weiterhin auf den militärischen Beistand der USA setzten und in der Präambel des Élysée-Vertrags die Bedeutung der transatlantischen Partnerschaft festschrieben, hat de Gaulle nachhaltig verstimmt. Sein Ziel, mit Hilfe der Deutschen Europa unter französischer Führung von den Vereinigten Staaten zu emanzipieren, hat er nicht erreicht. Dennoch ist er mit Winston Churchill der einzige Staatsmann von Weltformat, den Europa im 20. Jahrhundert hervorgebracht hat. Er war es, der dem französischen Volk wieder Führung gegeben hat.

Damit meine ich nicht seine Rolle während des Krieges. Dass sich de Gaulle nach der Niederlage Frankreichs im Juni 1940 im Londoner Exil an die Spitze des Widerstands setzte, ist ohne bleibende Wirkung geblieben. Die von de Gaulle im Sommer 1944 gebildete provisorische Regierung hielt sich gerade einmal anderthalb Jahre. Nachdem sein Versuch einer Verfassungsänderung gescheitert war, zog sich der General 1953 enttäuscht nach Colombey-les-Deux-Églises zurück. Damals rechnete niemand mehr ernsthaft damit, dass sich das Land noch lange im Kreis der großen Mächte würde halten können. 1958 kam de Gaulle zurück und schuf auf dem Boden einer neuen Verfassung die Voraussetzungen für die Erhaltung der Weltmachtrolle Frankreichs. Dem durch innen- und außenpolitische Dauerkonflikte schwer beschädigten Land Führung gegeben zu haben, darin liegt die eigentliche Leistung de Gaulles. Zwar habe ich einige seiner wesentlichen politischen Anliegen missbilligt, so den Austritt aus der Nato oder auch seine Weigerung, England in die Europäische Gemeinschaft aufzunehmen. Gleichwohl habe ich an seiner historischen Bedeutung niemals gezweifelt.

De Gaulles Europa-Konzeption hat mich nicht überzeugt. Denn er gebrauchte das Wort Europa in sehr unterschiedlicher Bedeutung. Einmal sprach er vom «Europa der Vaterländer», das er einem integrierten Europa vorziehe; ein andermal sagte er, dass Europa vom Atlantik bis zum Ural reiche, was mir reichlich geschichtsfremd vorkam; dann wieder wollte er Europa als unabhängigen Machtfaktor gegen die «doppelte Hegemonie» der beiden Supermächte etablieren. Aber wie auch immer er dieses Europa definieren mochte, eines stand für ihn fest: dass England nicht dazugehören sollte. Es war de Gaulles Nachfolger Georges Pompidou, der 1973 schließlich Großbritanniens Beitritt zustimmte. Allerdings nicht aus Überzeugung, sondern weil er damit ein Gegengewicht gegen die Bundesrepublik schaffen wollte. Das hat er so zwar nicht gesagt, aber es war sein eigentliches Motiv.

De Gaulles Widerstand gegen die Teilnahme Großbritanniens am europäischen Integrationsprozess rief bei mir heftige Opposition hervor. Heute muss ich bekennen, dass ich mir über die Rolle Englands lange Zeit Illusionen gemacht habe. Ich war immer für die Einbeziehung Englands eingetreten. Als 1957 die Römischen Verträge zur Schaffung des gemeinsamen Marktes im Deutschen Bundestag zur Abstimmung standen, habe ich mich deswegen der Stimme enthalten – ohne England wird das nichts, dachte ich. So dachte ich auch noch zehn und zwanzig Jahre später. Drei Briten fühle ich mich – nicht nur in diesem Punkt – bis heute verbunden: dem Konservativen Peter Carrington, den ich Anfang der siebziger Jahre als Verteidigungsminister kennengelernt hatte, Premierminister James «Jim» Callaghan, der 1976 Nachfolger Wilsons wurde, sowie meinem alten Labour-Freund Denis Healey. Carrington und Healey leben noch: Der eine ist ein halbes Jahr jünger als ich, der andere sogar noch ein Jahr älter.

In meiner Einschätzung der britischen Haltung gegenüber Europa setzte in der zweiten Hälfte der siebziger Jahre ein Korrekturprozess ein, zu dem Harold Wilson ebenso beitrug wie später Maggie Thatcher. Beide haben mich begreifen lassen, dass es den Engländern immer darum ging, den Daumen im Pudding zu haben. Sie wollten mitmischen, damit dieses Europa nicht zu bedeutsam wurde, alles andere interessierte sie nicht. Und sie begrüßten alles, was sich gegen die Deutschen richtete.

1989 opponierte Margaret Thatcher heftig gegen die Vereinigung der Deutschen. Das entsprach der Mehrheitsmeinung in England. François Mitterrand opponierte ebenfalls, und darin spiegelte sich die Volksmeinung in Frankreich wider. Darüber sind sich die Deutschen nicht im Klaren. Man darf das Ganze allerdings nicht an einzelnen Politikern festmachen. Und nicht nur den großen Nationen, auch allen kleineren Nachbarn bereitet ein so mächtiges Land in der Mitte des Kontinents Probleme.

*

De Gaulle war ein leidenschaftlicher Patriot. Das Wort ist bei uns in Verruf gekommen, was auch darauf zurückzuführen ist, dass es heute vor allem von rechtsextremen Gruppierungen verwendet wird. Aber im Kern sind die heute führenden Politiker mehrheitlich Patrioten; das gilt für Franzosen und Briten genauso wie für amerikanische, chinesische oder deutsche Politiker. Sie vertreten zunächst einmal die Interessen ihres Landes.

Der Nationalstaat ist immer noch die entscheidende Bezugsgröße. Von wenigen Großreichen wie dem Reich Alexanders des Großen oder dem Römischen Reich abgesehen, hat die Geschichte als bedeutende Akteure nur Nationalstaaten hervorgebracht, auch wenn dieser Begriff erst für das 18. Jahrhundert angewendet wird. Sich mit dem eigenen Staat zu identifizieren, scheint mir etwas ganz Natürliches.

Ich will hier eine kleine Geschichte erzählen, die zurückreicht in die siebziger Jahre. Im November 1977 reiste ich als Kanzler nach Polen. Im Vorfeld der Reise hatte ich den Erzbischof von Krakau wissen lassen, dass ich ihn bei dieser Gelegenheit gern besuchen würde. Der Erzbischof, Karol Wojtyla, der spätere Papst Johannes Paul II., ließ mich wissen, dass er meinen Vorschlag nicht aufgreifen wolle, denn ein Treffen könnte in Warschau falsch verstanden werden. Ich habe lange gerätselt, wen Wojtyla mit «Warschau» gemeint hat: seinen Primas, also die katholische Kirche, oder die Kommunistische Partei. Als ich mehr als dreißig Jahre später Lech Wałęsa davon berichtet habe, unterbrach mich dieser lebhaft: «Nein, nein! Er hat natürlich die Sowjets gemeint. Ich musste doch auch immer wissen, dass ich keine sowjetische Intervention provozieren durfte.»

1981 wurde in Polen das Kriegsrecht verhängt. In den Kreisen der katholischen Kirche Polens herrschte damals die Meinung vor, General Jaruzelski sei mit der Ausrufung des Kriegsrechts einer sowjetischen Intervention zuvorgekommen; die Russen hätten den von der Gewerkschaftsbewegung Solidarność ausgehenden Freiheitsbestrebungen nicht länger tatenlos zugeschaut. Als ich Lech Wałęsa vor einiger Zeit in Danzig besuchte, fragte ich ihn: «Wie denken Sie heute über Jaruzelski?» – «Er hatte die Wahl zwischen zwei Übeln», antwortete Wałęsa und meinte damit: Es blieb ihm nur die Möglichkeit, entweder gegen Solidarność vorzugehen oder die Russen zum Einschreiten zu provozieren. «Beides war von Übel, aber das Urteil über Jaruzelski muss ich Gott überlassen!» Das primäre Motiv von General Jaruzelski war zweifellos, Schlimmeres zu verhüten – auch um den Preis, dass er damit in einer unrühmlichen Rolle in die polnische

Geschichte eingehen würde. Er hat im Interesse seines Landes patriotisch gehandelt.

Für die polnische Nation sind die letzten Jahrhunderte eine Kette von Katastrophen gewesen. Die vorletzte Katastrophe war 1939 der Überfall Hitlers, die letzte Katastrophe war Hitlers Krieg gegen die Sowjetunion, der mit der von Stalin erzwungenen Westverschiebung des polnischen Staatsgebietes geendet hat. Der Zweite Weltkrieg hat vielen Völkern unsägliche Opfer zugemutet – die schlimmsten wahrscheinlich den Juden und den Polen. Der polnische Staat ist der Einwohnerzahl nach deutlich kleiner als sein östlicher Nachbar Russland und sein westlicher Nachbar Deutschland. Deshalb haben viele Polen sich immer eingeklemmt gefühlt, Amerika galt ihnen als Hort der Freiheit. Zu Beginn des 21. Jahrhunderts ist Polen schließlich der Europäischen Union beigetreten, und ein polnischer Politiker ist heute Präsident des Europäischen Rates.

Wenn aber Europa sich als Ganzes behaupten will, dann muss es die Grenzen nationalstaatlichen Denkens überwinden und die Integration der Gemeinschaft weiter voranbringen. Nur im Rahmen der Europäischen Union sind wir den globalen Herausforderungen gewachsen, nationalistische Tendenzen dürfen nicht die Oberhand gewinnen. Die Europäische Union liegt im patriotischen Interesse jedes einzelnen ihrer Mitgliedsstaaten, insbesondere Deutschlands. Und eines Tages wird es vielleicht sogar einen europäischen Patriotismus geben.

204   Als Winston Churchill in seiner Züricher Rede 1946

Franzosen und Deutsche aufforderte, gemeinsam die Vereinigten Staaten von Europa zu gründen, verfolgte er damit zwei strategische Ansätze. Zum einen wollte er die Deutschen, deren wirtschaftlichen Wiederaufstieg er voraussah, in die westliche Gemeinschaft einbinden; zum anderen wollte er ein weiteres Vordringen der Sowjetunion nach Westen verhindern. Die Rede blieb damals ohne sonderliche Resonanz, und wahrscheinlich gehöre ich zu den wenigen Deutschen, die später davon Kenntnis nahmen. Churchills Vision hat mich begeistert. Gleichzeitig war ich mir darüber im Klaren, dass es Jahre, wenn nicht Jahrzehnte dauern würde und es vieler kleiner Schritte zu ihrer Realisierung bedurfte.

Einer der wichtigsten Förderer des europäischen Gedankens war der große Franzose Jean Monnet. Man kann ihn den eigentlichen Wegbereiter der Europäischen Union nennen, obwohl er nie Regierungschef oder auch nur Minister war, ja nicht einmal ein politisches Mandat besaß. Nach dem Krieg war er durchdrungen von der Idee, dass zur Sicherung des Friedens in Europa Frankreich und Deutschland enger zusammenarbeiten und als Erstes ihre Kohle- und Stahlproduktion einer gemeinsamen Verwaltung unterstellen müssten. Von dieser Idee überzeugte er den französischen Außenminister Robert Schuman. Die Gründung der Europäischen Gemeinschaft für Kohle und Stahl (EGKS), der ersten supranationalen Behörde, aus der später die Europäische Gemeinschaft hervorging, war sein Werk. Der Schuman-Plan, der diesem historischen Schritt zugrunde lag, hätte eigentlich Monnet-Plan heißen müssen, zumal Jean Monnet es war, der die anschließenden Verhandlungen führte.

Die Montanunion, wie die EGKS allgemein genannt wurde, war ein wirtschaftliches Projekt mit einer klaren politischen Ausrichtung. Zweck seines Planes sei es gewesen, schrieb Monnet in seinen Erinnerungen, «in die Wälle der nationalen Souveränität eine Bresche zu schlagen, die so begrenzt ist, dass sie die Zustimmung erlangen kann, aber tief genug, um die Staaten zu der für den Frieden notwendigen Einheit zu bewegen». Der Satz ist bezeichnend für Monnets Pragmatismus. Er ließ sich nicht zu unrealistischen Vorschlägen verleiten, die politisch nicht durchsetzbar gewesen wären. Er ging stets schrittweise vor und handelte, ohne sich dessen bewusst zu sein, ganz im Sinne von Poppers «piecemeal social engineering». Im richtigen Moment gelang es ihm, die richtigen Leute für seine Vorschläge zu gewinnen. Der leider nicht realisierte Pleven-Plan für eine Europäische Verteidigungsgemeinschaft ging ebenso auf eine Initiative Monnets zurück wie die Gründung von EURATOM zur Förderung und friedlichen Nutzung der Kernenergie in den Mitgliedsstaaten der Gemeinschaft.

1947 oder 1948 hatte ich in Straßburg einen Vortrag von Jean Monnet gehört. Seine analytischen Fähigkeiten und sein Weitblick weckten in mir damals Bewunderung und Verehrung. Ich war dreißig Jahre alt, Monnet sechzig – er war im gleichen Jahr geboren wie mein Vater –, und dieser Altersunterschied trug zu meiner Faszination ebenso bei wie die Tatsache, dass es sich um einen Franzosen handelte, einen Vertreter

Jean Monnet, 1888–1979

der Siegermacht, der hier gesamteuropäische Visionen entwickelte. Seinen Einsichten verdanken wir, dass wir das hohe Ziel der Einigung Europas trotz vieler Enttäuschungen auch in schwierigen Phasen nicht aus den Augen verloren haben. Kern seiner pragmatischen und zugleich visionären Politik war die Überzeugung, so schrieb ich 1978 im Vorwort zur deutschen Ausgabe seiner Erinnerungen, «dass Frieden und Wohlfahrt für die Völker Europas nur aus dem Zusammenwirken gleichberechtigter Partner zu einer Gemeinschaft gesichert werden können».

An der Spitze des von ihm begründeten «Aktionskomitees für die Vereinigten Staaten von Europa» hat

Jean Monnet zwanzig Jahre lang wichtige Impulse für die Formulierung neuer europapolitischer Ideen gegeben. In den sechziger Jahren lernte ich ihn persönlich kennen. Die Art, wie er die Sitzungen leitete, imponierte mir, und ich verdanke ihnen zahlreiche Denkanstöße. Später habe ich mir als Finanzminister und auch als Bundeskanzler von Jean Monnet gelegentlich Rat erbeten. Der Politiker ohne Amt und ohne Auftrag steckte bis ins hohe Alter voller Ideen.

Ich war nie ein europäischer Idealist. Die europäische Integration ist für mich kein politisches Ziel um seiner selbst willen. Schon gar nicht erstrebenswert erscheint mir die ungehemmte Ausdehnung der EU in alle Himmelsrichtungen, im Gegenteil. Manches deutet darauf hin, dass sich die EU seit dem Maastrichter Vertrag von 1992 in ihrem geradezu größenwahnsinnigen Expansionsdrang übernommen hat – bei gleichzeitiger Vernachlässigung dringend notwendiger Reformen ihrer Institutionen. Mit Sicherheit hat sie gegen das Prinzip des schrittweisen Vorgehens verstoßen. Gleichwohl bleibe ich ein Anhänger der europäischen Integration, weil ich davon überzeugt bin, dass sie im Interesse meines eigenen Volkes liegt. Auch Jean Monnet war kein Schwärmer, sondern ein nüchtern kalkulierender Mann, der wusste, dass die Schaffung eines gemeinsamen Europas auch und nicht zuletzt den vitalen Interessen der Franzosen dient. Bescheiden, aber beharrlich verfolgte er seine Vision mit sicherem Gespür für das jeweils Machbare.

*

Während des Zweiten Weltkriegs hatte es eine Verbindung zwischen Jean Monnet und John McCloy gegeben. Im Jahre 1941 wirkten sie gemeinsam daran mit, dass die USA sich auf den Kriegseintritt vorbereiteten, der schließlich im Dezember 1941 nach dem japanischen Überfall auf Pearl Harbor erfolgte. McCloy war damals Unterstaatssekretär im Kriegsministerium, Monnet arbeitete im Auftrag der britischen Regierung am Victory-Programm mit. 1949 wurde McCloy amerikanischer Hochkommissar in Deutschland. Er verhalf dem Schuman-Plan seines Freundes Jean Monnet zum Durchbruch und betrieb erfolgreich die Einbindung der Bundesrepublik Deutschland in das westliche Verteidigungsbündnis.

Ich will bei dieser Gelegenheit an John McCloy erinnern, der den Übergang Westdeutschlands von einem besetzten Land zu einem souveränen Staat maßgeblich mitgestaltet hat. Er trug nicht nur entscheidend zum Aufbau wirtschaftlicher und politischer Strukturen in der Bundesrepublik bei; er sorgte auch dafür, dass sich in der amerikanischen politischen Klasse schon wenige Jahre nach dem Krieg ein überwiegend positives Bild von Deutschland durchsetzte. McCloy war ein Mann nach meinem Herzen, so habe ich es einmal ausgedrückt, ein Mann, der sich aus eigener Kraft von ganz unten nach oben gearbeitet hatte, ein Pragmatiker mit festen Prinzipien und von überragender Urteilskraft. Ähnlich wie Jean Monnet war er zeit seines Lebens auf vielen Gebieten höchst erfolgreich, als Politiker ebenso wie als Banker oder Anwalt. Und genau wie Monnet war er bei aller Tatkraft zugleich von großer Zurückhaltung und überließ den Vortritt gern anderen.

Kennengelernt habe ich John McCloy erst in der zweiten Hälfte der sechziger Jahre. Als Fraktionsvorsitzender meiner Partei und später als Minister war ich des Öfteren beim «Council on Foreign Relations» in New York eingeladen. Dieser Kreis aus Rechtsanwälten, Bankiers, Industriellen, Unternehmern und Professoren verkörperte das Establishment der Ostküste. Viele Mitglieder dieses Kreises hatten bereits einige Zeit auf nationaler oder internationaler Ebene hohe Positionen bekleidet, andere standen kurz davor, einige Jahre ihres Lebens dem öffentlichen Dienst zu widmen. Nirgendwo konnte sich damals ein Politiker aus Deutschland rascher und zuverlässiger einen Überblick über die neuesten Entwicklungen der amerikanischen Außenpolitik verschaffen als hier.

John McCloy leitete diesen einflussreichen Think-Tank über viele Jahre, und wenn es um Fragen im deutsch-amerikanischen Verhältnis ging, habe ich immer wieder seinen Rat eingeholt. Als ich ihn später als Bundeskanzler aufsuchen wollte, um ihn erneut um Rat zu fragen, lehnte er dies ab: Es sei für ihn selbstverständlich, dass er zu mir komme. So trafen wir uns in meinem New Yorker Hotelzimmer. Diese Bescheidenheit hat mir imponiert, schließlich war McCloy eine ganze Generation älter als ich.

*

Valéry Giscard d'Estaing und ich sind seit vier Jahrzehnten befreundet. Als ich im Juli 1972 das Doppelressort Wirtschaft und Finanzen übernahm, fuhr ich alsbald nach Paris, um meinen französischen Ministerkollegen kennenzulernen. 1926 in Koblenz als Sohn eines Besatzungsoffiziers geboren, war Giscard Ende des Krieges gerade noch Soldat geworden. Er hatte die École nationale d'administration (ENA) durchlaufen, an der seit 1945 die Spitzen der französischen Verwaltungsbeamten ausgebildet werden, war im Alter von 36 Jahren Staatssekretär im Finanzministerium geworden und hatte unter de Gaulle zum ersten Mal die Leitung des Ministeriums übernommen. 1969 betraute ihn Präsident Pompidou erneut mit diesem Amt.

Dass wir recht ähnlich dachten und uns schnell verständigen konnten, wurde uns auf einem Gipfeltreffen der Europäischen Gemeinschaft im Oktober 1972 bewusst. Im Zusammenhang mit der bevorstehenden Erweiterung der Gemeinschaft von sechs auf neun Mitglieder zum 1. Januar 1973 sollten neue Ziele definiert werden. Viele Redner ergingen sich in Phrasen. Giscard und ich hatten die Tischkarten vertauscht, damit wir nebeneinandersitzen konnten, und haben uns die Zeit verkürzt, indem wir uns bisweilen kleine Zettel zuschoben, auf denen wir das Gehörte ironisch kommentierten. Wir stimmten nicht nur inhaltlich überein, sondern erfreuten uns auch gegenseitig an der Art, unseren Spott auszudrücken. So wurden wir schnell miteinander vertraut.

Anderthalb Jahre später übernahmen wir, fast gleichzeitig, die Führung unseres jeweiligen Landes, 211 er als dritter Staatspräsident der Fünften Republik, ich als fünfter Bundeskanzler. Es war für mich selbstverständlich, dass mein erster Besuch nach dem Amtsantritt nach Paris führte. Dort haben wir miteinander geredet wie zwei Menschen, die sich seit Langem vertrauen – jenseits des Protokolls, schlicht Valéry und Helmut, auf Englisch und ohne Dolmetscher. Er hat mich dann vom Élysée zu Fuß bis zu meinem Hotel in der Rue du Faubourg Saint-Honoré begleitet. Erst im Nachhinein wurde mir bewusst, welch ungewöhnliche Geste dies gewesen ist.

In den sieben Jahren, die wir gemeinsam an der Spitze standen, habe ich Giscard immer den Vortritt gelassen – er war Präsident, ich nur Kanzler. Aber die Reihenfolge schien mir nicht nur protokollarisch korrekt, sie entsprach auch meiner Überzeugung. Frankreich ist Atommacht, Frankreich hat einen ständigen Sitz im UN-Sicherheitsrat, und Frankreich hat, als ehemalige Kolonialmacht, in vielen Teilen der Welt großen Einfluss. Dieser Bedeutung Frankreichs war ich mir immer bewusst. Mit anderen Worten: Wenn ich etwas erreichen wollte, habe ich mich mit Giscard abgestimmt, mich seiner Unterstützung versichert und mich sodann auf ihn verlassen können.

Manches habe ich auch Giscard zuliebe getan. Zum Beispiel habe ich dem Beitritt Griechenlands zur Europäischen Gemeinschaft zugestimmt – gegen meine Überzeugung. 1973 hatten wir die Briten, die Iren und die Dänen aufgenommen und waren von sechs auf neun Mitgliedsstaaten gewachsen. Als dann Mitte der siebziger Jahre die militärischen Diktaturen in Grie-

Valéry Giscard d'Estaing,
geb. 1926

chenland, Portugal und Spanien etwa gleichzeitig
durch Putsche und revolutionäre Selbstbefreiungen
abgelöst wurden, gab es innerhalb der Europäischen
Gemeinschaft viel Solidarität. Die Stimmung war:
Man muss diese Länder stützen, damit die Demokratie sich etablieren kann, deshalb muss man sie in die
EG aufnehmen. Im Falle Spaniens und Portugals
schloss ich mich dieser Auffassung an. In Bezug auf
Griechenland hatte ich jedoch Bedenken. Ich hatte
mich etwas mit der griechischen Ökonomie befasst
und konnte mir schlecht vorstellen, dass einer der
milliardenschweren Reeder je auch nur eine Drach-

213

me Steuern nach Athen überwiesen hatte. Dennoch habe ich dem überzeugenden Argument von Giscard nachgegeben: Nachdem alle drei Staaten aus eigener Kraft ihre Diktaturen abgeschafft hatten, mussten wir ihnen beistehen.

Die Situation, in der sich die EG Mitte der siebziger Jahre gegenüber den drei südeuropäischen Staaten befand, lässt sich in gewisser Weise vergleichen mit der Situation nach dem Ende des Ost-West-Konflikts. Anfang der neunziger Jahre schien eine Stützung der demokratischen Kräfte in den Staaten Osteuropas durchaus sinnvoll. Eine Aufnahme von Staaten aus dem ehemals sowjetischen Einflussbereich setzte jedoch voraus, dass gleichzeitig die wichtigsten Institutionen der EU grundlegend verändert wurden. Es war ein unverzeihlicher Fehler der Konferenz von Maastricht, ohne entsprechende Anpassungen die Zahl von zwölf Mitgliedern auf eine unbegrenzte Zahl von Mitgliedern zu vergrößern. Die Risiken wurden nicht begriffen.

Die Erweiterung von sechs auf neun Mitglieder war innerhalb der bestehenden Strukturen möglich gewesen. Aber schon die Erweiterung von neun auf zwölf Mitglieder in der ersten Hälfte der achtziger Jahre hätte eigentlich eine Änderung bei der Zusammensetzung der Ministerräte und Kommissionen notwendig gemacht. Das ist damals, vor allem mit Rücksicht auf Spanien, versäumt worden. Das Problem ließ sich auch deshalb verschieben, weil es eine funktionierende europäische Währungseinheit gab, die sich ECU nannte. Den ECU konnte man nicht anfassen, man bekam seinen Lohn nicht in ECU und konnte mit ECU auch nicht zahlen, er existierte nur in den Büchern – und in den Köpfen der Finanzfachleute. Weil nach wie vor die nationalen Währungen galten, die, jede für sich, auf gemeinsamen Beschluss auf- und abgewertet wurden, brauchten wir nicht notwendig eine gemeinsame Wirtschafts- und Finanzpolitik.

In den neunziger Jahren jedoch, als man sich daranmachte, die nationalen Währungen aufzuheben und eine einzige gemeinsame an deren Stelle zu setzen, hätte notwendigerweise eine gemeinsame Wirtschafts- und Finanzpolitik mit einem entsprechend ausgestatteten Apparat geschaffen werden müssen. Die Verantwortlichen von Maastricht haben das leider erst sehr viel später begriffen. Mit Hilfe einer europäischen Verfassung wollten sie wenigstens nachträglich Abhilfe schaffen. 2003 legte der Verfassungskonvent unter der Federführung von Giscard d'Estaing den Entwurf für den Vertrag über eine Verfassung für Europa vor, der ein Jahr später von den Staats- und Regierungschefs unterzeichnet wurde. Weil in einem von Präsident Chirac gegen den Widerstand von Giscard durchgesetzten Referendum die Mehrheit der Franzosen sich gegen den Verfassungsentwurf aussprach, kam es jedoch nicht zur Ratifizierung durch die Nationalversammlung. Zur Ehrenrettung der Franzosen muss erwähnt werden, dass wenig später auch eine Mehrheit der Holländer nein gesagt hat.

Nach seinem Ausscheiden aus dem Amt 1981 genoss Giscard bei der politischen Klasse in Frankreich weiterhin erhebliches Ansehen. Während französische Präsidenten nach ihrer Amtszeit üblicherweise keine öffentliche Rolle mehr spielen, konnte Giscard einiges bewegen – auch in Europa. Anfang 2002 wurde er Präsident des vom Europäischen Rat eingesetzten Verfassungskonvents und damit beauftragt, den Entwurf einer Verfassung für Europa auszuarbeiten. Die Präsentation dieses Entwurfs im Sommer 2003 markierte den Höhepunkt von Giscards öffentlicher Wirkung. Wenig später haben dann die Volksabstimmungen in Frankreich und in Holland den Weg in die heutige Unübersichtlichkeit eröffnet.

Giscard gehört zu den wenigen Staatsmännern, die sich mit großem Engagement für die europäische Integration einsetzen. Der politischen Klasse in Frankreich liegt Europa nicht sonderlich am Herzen. Ihnen liegt nur Frankreich am Herzen – aus übertriebenem Patriotismus. Ich weiß nicht, ob Giscard von Anfang an ein entschiedener Anhänger der europäischen Integration war. Aber er ist dies im Laufe der Jahrzehnte geworden. Und heute ist er beides: leidenschaftlicher Kämpfer für die europäische Idee und Patriot, ein europäischer Patriot.

Unsere Freundschaft hat über unser etwa gleichzeitiges Ausscheiden aus der aktiven Politik hinaus weitere dreißig Jahre gehalten. Eingeschlossen waren unsere Frauen – Anne-Aymone und Loki. Für Anne-Aymone, die ihren Vater in einem deutschen Konzentrationslager verloren hatte, war der Umgang mit Deutschen nicht leicht – auch das muss man wissen. Als die beiden uns in Hamburg besuchten, haben sie in unserer Mansarde übernachtet, was für sie zweifellos gewöhnungsbedürftig war – so wie für Loki und mich die Unterbringung in einem ihrer beiden Schlösser. Bei unseren Gesprächen über die großen politischen Themen schweifen wir noch heute gerne ab. Dann unterhalten wir uns über die Romanik, über französischen Impressionismus oder über die Schönheiten von Paris. Freunde reden über das, was ihnen gerade in den Sinn kommt, nicht über das, was auf einer Tagesordnung steht.

Auch für meine Freundschaft mit Valéry Giscard d'Estaing gilt: Ihr Kern war die Zuverlässigkeit, die Stetigkeit, das gegenseitige rückhaltlose Vertrauen. Ein solches Vertrauensverhältnis zwischen einem französischen Staatspräsidenten und einem deutschen Bundeskanzler hat es meines Wissens weder vorher noch nachher gegeben. Möglicherweise kam es, gegen Ende ihres Lebens, zu einem herzlichen Einvernehmen zwischen de Gaulle und Adenauer. Die so genannte Freundschaft zwischen Kohl und Mitterrand war bestenfalls eine Episode, wenn man bedenkt, mit welchem Aplomb sich Mitterrand 1989/90 gegen die deutsche Vereinigung gestemmt hat. Keiner hat sich den Deutschen so weit geöffnet wie Giscard. Deshalb bleibt er für das deutsch-französische Verhältnis ein Vorbild.

Amerikanische Freunde

Die Herzlichkeit und Freizügigkeit, die ich vor dem Zweiten Weltkrieg im Fischerhuder Freundeskreis hatte erleben dürfen, ist mir in meinem weiteren Leben nur noch ein einziges Mal in vergleichbarer Form begegnet. Anfang der sechziger Jahre wurde ich in die damals so genannte «International Defence Community» aufgenommen. Ich habe das gar nicht gemerkt, denn offiziell gab es diese Organisation nicht. Es handelte sich um einen informellen Kreis international angesehener Militärexperten, in erster Linie Amerikaner und Briten.

Anfang 1961 war mein Buch «Verteidigung oder Vergeltung» erschienen, in dem ich mich kritisch mit der damals gültigen Strategie der Nato, dem Konzept der massiven Vergeltung («massive retaliation»), auseinandergesetzt habe. Massive Vergeltung war alles, was die Nato damals konnte, das heißt, sie drohte mit Selbstmord. Ich hatte mich gründlich in die amerikanische, englische und französische Literatur zum Thema eingelesen und im Buch selbst die wichtigsten Thesen behandelt. Nach der Veröffentlichung wurde ich von der «International Defence Community» eingeladen.

In diesem Kreis habe ich die wichtigsten Militärschriftsteller der Zeit kennengelernt: Maxwell Taylor, Henry Kissinger – damals ein aufgehender Stern – und Basil Liddell Hart. Ich erinnere mich an den französischen General Pierre Gallois, an Robert Osgood und an den Direktor der Library of Congress. Die meisten waren zehn oder zwanzig Jahre älter als ich, aber sie nahmen den ehemaligen Wehrmachtsoldaten sehr herzlich auf, man ging schnell zum Vornamen über. Maxwell Taylor war aus Protest gegen die Strategie der massiven Vergeltung als Stabschef der US-Armee zurückgetreten und hatte kurz vor mir ein ähnliches Buch publiziert, «The Uncertain Trumpet». Die Trompete, mit der die Nato den Russen drohe, sei wegen der Zweitschlagfähigkeit der Sowjetunion ein unzuverlässiges Instrument geworden, so Taylor. Wer als Erster Nuklearwaffen einsetze, gehe nämlich dennoch unter – wenn auch als Zweiter. Der Westen müsse sich Gedanken machen über eine neue Strategie.

Als junger deutscher Politiker ohne Amt in diesen erlauchten Kreis führender Strategen des westlichen Bündnisses aufgenommen zu werden, empfand ich als eine Auszeichnung. Und ich will nicht leugnen, dass es mir große Genugtuung bereitete, in einer Rezension meines Buches durch Liddell Hart zu lesen, es handele sich um «die beste Einführung in die militärischen Fragestellungen des Atomzeitalters». «Verteidigung oder Vergeltung» hat mehrere Auflagen und Übersetzungen erlebt und wurde mein erster Bestseller.

*

Wenige Monate nach meinem Ausscheiden aus dem Amt besuchte mich mein Freund Takeo Fukuda in Hamburg. Wir kannten uns seit Anfang der siebziger Jahre, als wir gleichzeitig Finanzminister gewesen waren; später bekleidete Fukuda einige Zeit das Amt des Ministerpräsidenten. Er wollte mich für seine Idee gewinnen, ehemalige Staats- und Regierungschefs in einer Art «Old Boys' Club» zusammenzubringen. Fukuda machte sich große Sorgen um die internationale Wirtschafts- und Finanzpolitik, aber auch um die Auswirkungen eines ungebremsten Bevölkerungswachstums oder die Folgen des Klimawandels. Die «Ehemaligen» sollten ihre Kenntnisse, ihre Verbindungen und ihren Einfluss nutzen, damit solche globalen Fragen auf die politische Agenda gesetzt würden. So kam es 1983 zur Gründung des «InterAction Council», dem im Laufe der Jahre mehr als zwei Dutzend Staats- und Regierungschefs außer Dienst beitraten. Als einen der Höhepunkte unseres öffentlichen Wirkens sehe ich die Übergabe der «Allgemeinen Erklärung der Menschenpflichten» an UN-Generalsekretär Kofi Annan im September 1997.

Informelle Vereinigungen wie der «InterAction Council» – oder auch die eben erwähnte «International Defence Community» – sind wichtige Plattformen des internationalen Austauschs. Ich habe es immer bedauert, dass zwei meiner engsten amerikanischen Freunde, Gerald Ford und George Shultz, nicht Mitglied des «InterAction Council» geworden sind. Shultz war «nur» Außenminister gewesen, und Ford hat wohl aus Rücksicht auf seinen Amtsnachfolger Jimmy Carter, der zu den Gründungsmitgliedern des IAC zählte, verzichtet. Beide habe ich besonders geschätzt.

Unter den vier amerikanischen Präsidenten, mit denen ich in meiner Zeit als Bundeskanzler zu tun hatte – Nixon, Ford, Carter und Reagan –, war Gerald Ford derjenige, der mir durch seine persönliche und politische Zuverlässigkeit am nächsten stand. In den zweieinhalb Jahren unserer gemeinsamen Amtszeit hat es niemals ein Problem gegeben, das wir nicht binnen Kurzem in vertrauensvoller Offenheit lösen konnten. Als er im August 1974 ins Amt kam, kannte ich ihn nicht. Er war erst ein knappes Jahr zuvor von Nixon zum Vizepräsidenten ernannt worden, nachdem sein erster Vizepräsident wegen Korruptionsvorwürfen zurückgetreten war. Als nicht gewählter Vizepräsident wurde er jetzt Nachfolger Nixons – kein leichter Einstieg in das Amt.

Vier Wochen nach der Amtsübernahme traf Ford eine Entscheidung von größter Reichweite: Er begnadigte Richard Nixon und schützte ihn so vor Strafverfolgung im Zusammenhang mit Watergate. Das war ebenso mutig wie weise, denn ein Prozess gegen Nixon hätte viel Unruhe geschaffen in einem ohnehin zerrissenen Land. Vor allem hätte ein Prozess gegen den Präsidenten eine erhebliche außenpolitische Schwächung Amerikas mit sich gebracht. Beide Entscheidungen – das Amt anzunehmen, ohne durch Wahl legitimiert zu sein, und die aufgrund der Verfassung zulässige, aber heftig umstrittene Pardonierung

Nixons – zählen für mich zu den herausragenden Leistungen Fords. Die amerikanische Öffentlichkeit hat es ihm nicht gedankt und ihn in den zweieinhalb Jahren seiner Amtszeit ziemlich unfair behandelt – ein weiterer Beleg dafür, dass es schwierig ist, sich mit richtigen, aber unpopulären Entscheidungen beim Publikum beliebt zu machen.

Für die Europäer war Gerald Ford ein Glücksfall. Mit seiner Entscheidung, den KSZE-Prozess aktiv zu begleiten, hat er 1975 maßgeblich dazu beigetragen, den Ost-West-Konflikt zu entschärfen. Ohne die Beteiligung der Amerikaner wäre die Helsinki-Konferenz damals im Sand verlaufen. In der Administration gab es heftige Widerstände, aber für den Präsidenten stand fest, wir machen mit. Am Rande der Helsinki-Konferenz haben Ford, Giscard d'Estaing, Harold Wilson und ich uns zum ersten Weltwirtschaftsgipfel verabredet, der dann wenige Monate später in Rambouillet stattfand.

Nach Rambouillet luden wir die Japaner ein, und Giscard auf seine eigene Initiative noch die Italiener. Da waren wir sechs. Ein knappes Jahr später kam es zu einem zweiten Treffen auf Puerto Rico, an dem auf Einladung Fords der kanadische Ministerpräsident Pierre Trudeau teilnahm. Auf den Siebener-Gipfeln, für die sich bald die Bezeichnung G7 einbürgerte, wurde vieles erreicht. Mit Hilfe der Zentralbanken haben wir die Inflation eingefangen und die Weltwirtschaft insgesamt sehr gut über die zweite Ölkrise gebracht. Später verloren diese Gipfel zunehmend an Bedeutung. Die heutige Gruppe der Zwanzig (G20) hat mit

223

unserer ursprünglichen Idee, die finanzpolitischen Maßnahmen der wichtigsten Industrienationen aufeinander abzustimmen, nicht mehr viel zu tun. Zwar sitzen inzwischen Russland, China, bedeutende Schwellenländer wie Brasilien und Indien sowie Saudi-Arabien mit am Tisch, aber die Beschlüsse der G20 werden heute praktisch nicht mehr sonderlich wirksam.

So wie Ford mit seiner Unterstützung des KSZE-Prozesses zur Annäherung zwischen Ost und West beigetragen hat, so hat zehn Jahre später George Shultz mit dem von ihm herbeigeführten Kurswechsel der Reagan'schen Außen- und Sicherheitspolitik einen entscheidenden Schritt zur endgültigen Überwindung des Ost-West-Konflikts eingeleitet. Als Shultz im Juni 1982 amerikanischer Außenminister wurde, waren wir seit Langem befreundet. Kennengelernt hatten wir uns als Finanzminister im Sommer 1972 zur Zeit der ersten großen Dollarkrise. Shultz hatte sein Amt im Mai übernommen, ich war im Juli vom Verteidigungs- in das Finanzministerium gewechselt. Der Vietnamkrieg hatte den US-Haushalt weit überfordert, und dies wirkte sich bedrohlich auf das System fester Wechselkurse aus, weil die USA sich weigerten, den Dollar durch Gold- oder Devisenverkäufe zu verknappen und dadurch seinen Wechselkurs zu stützen. Die D-Mark war bereits zweimal aufgewertet worden, aber alle diese Maßnahmen blieben ohne Erfolg. Ein Dreivierteljahr später mussten wir unter amerikanischem Druck die Wechselkurse freigeben, was einen Sinkflug des Dollars zur Folge hatte.

Der Wegfall des Systems von Bretton Woods stellte uns vor völlig neue Aufgaben. Shultz rief eine Runde ins Leben, der die Finanzminister der fünf führenden Industrienationen angehörten: Neben den USA und Deutschland waren das Frankreich – vertreten durch Giscard d'Estaing –, Großbritannien und Japan – vertreten durch Takeo Fukuda. Um der Sache einen offiziellen Anstrich zu geben, hatte uns Präsident Nixon für unser erstes Treffen die Library des Weißen Hauses zur Verfügung gestellt. Nach diesem Ort nannten wir unsere Runde, die man heute wohl als schnelle Eingreiftruppe bezeichnen würde, «Library Group».

Als überzeugter Anhänger der Marktwirtschaft und eines freien Welthandels war George Shultz innerlich ein Gegner der inflationistischen Ausgabenpolitik Nixons, aber er stand loyal zu seinem Präsidenten. Die Offenheit, mit der er seine Situation den vier Kollegen erläuterte, begründete ein dauerhaftes Vertrauensverhältnis. Unser wichtigster Emissär in der Folgezeit wurde Paul Volcker, damals Shultz' Stellvertreter, später Chef der amerikanischen Notenbank. Als Shultz im März 1974 das Ausmaß der Verstrickungen Nixons in die Watergate-Affäre erkannte, erklärte er seinen Rücktritt. Dies unterstrich seine intellektuelle und politische Unbestechlichkeit.

1982 kehrte Shultz nach erfolgreichen Jahren in der Wirtschaft in die Administration zurück und wurde Chef des State Department unter Reagan. Ich habe immer bedauert, dass ich wegen meines erzwungenen Ausscheidens aus dem Amt im selben Jahr die Arbeit meines Freundes Shultz meist nur aus der Ferne begleiten konnte. Deshalb ist mir auch erst im Nachhinein wirklich bewusst geworden, dass es George Shultz war, der seinen Präsidenten dazu gebracht hat, Abrüstungsgespräche mit den Russen aufzunehmen. Reagan war, vorsichtig ausgedrückt, außenpolitisch naiv: Er nannte die Sowjetunion das «Reich des Bösen», erfand Star Wars und wollte die Russen allen Ernstes totrüsten.

Die Wende kam mit dem Gipfel von Reykjavik im Oktober 1986. Gorbatschow entfaltete all seine Freundlichkeit und bezauberte Reagan, aber der Präsident zögerte noch; er war wohl auch von den Vorschlägen Gorbatschows überfordert. Erst unter dem Einfluss von Shultz stimmte er später zu. Gegen heftige Widerstände innerhalb der amerikanischen Regierung kam es im Dezember 1987 zur Unterzeichnung des INF-Vertrags über die Vernichtung nuklearer Mittelstreckensysteme. Zum ersten Mal wurden tatsächlich Atomwaffen auf der Grundlage eines bilateralen Vertrages verschrottet.

Reagan umzudrehen wäre nicht möglich gewesen, wenn nicht Gorbatschow seinerseits großes Interesse an einer Reduzierung des Militärhaushalts gehabt und Gesprächsbereitschaft gezeigt hätte. Er hatte erkannt, dass das sowjetische Modell unzureichend war für die Lenkung eines solchen Riesenreiches und dass es umgebaut werden musste. Bei der Umsetzung der nötigen Reformen sind ihm dann allerdings schwere Fehler unterlaufen, er wollte zu viel auf einmal. Aus russischer Sicht war er im Gesamtergebnis nicht erfolgreich.

Seit vielen Jahren gehört George Shultz zu den aktivsten Abrüstungspolitikern der USA. Gemeinsam mit Henry Kissinger, Sam Nunn und William Perry veröffentlichte er 2007 im «Wall Street Journal» einen Aufruf zur Abschaffung sämtlicher Nuklearwaffen. Diesen weltweit stark beachteten Artikel nahmen Richard von Weizsäcker, Egon Bahr, Hans-Dietrich Genscher und ich zum Anlass, unsererseits Vorschläge zur praktischen Umsetzung zu formulieren. Wir forderten die Aufnahme von Verhandlungen zwischen den USA und Russland zur drastischen Verringerung ihrer Atomwaffen, eine Abkehr der Nato und Russlands von der noch immer gültigen Doktrin zum Erstgebrauch von Atomwaffen sowie eine Stärkung des Nichtverbreitungsvertrags. Die Vision einer nuklearwaffenfreien Welt, wie sie Reagan und Gorbatschow in Reykjavik entwickelt hatten, müsse wiederbelebt werden. Den amerikanischen Plan, am Ostrand der Nato, in Polen und der Tschechischen Republik, Raketen und Radarsysteme zu installieren, nannten wir einen «Rückfall in die Zeiten der Konfrontation».

Tatsächlich ist der Friede der Welt im Jahre 2015 von einem gefährlichen Rückfall in die überwunden geglaubte Ost-West-Konfrontation bedroht. Mein Vertrauen in die Kontinuität und Zuverlässigkeit der Außenpolitik der amerikanischen Eliten ist im 21. Jahrhundert deutlich geringer, als es in der zweiten Hälfte des 20. Jahrhunderts gewesen ist. Einer der Gründe liegt in der vorhersehbaren Bevölkerungsentwicklung der USA, die in der zweiten Hälfte des 21. Jahrhunderts aus den Vereinigten Staaten ein offiziell zweisprachiges Land machen könnte. Und die spanisch sprechenden Bürger könnten ganz andere politische Prioritäten setzen als die dann abgetretene alte Elite der Ostküste.

Zugleich wird die schnell wachsende Weltbevölkerung schon in der Mitte des 21. Jahrhunderts neun Milliarden übersteigen – am Ende des 19. Jahrhunderts waren es anderthalb Milliarden. Weil aber dieses enorme Wachstum an den europäischen Völkern und Staaten (und auch an Russland und Japan) ganz und gar vorbeigeht, kann die sicherheitspolitische Abhängigkeit der Europäer von der Schutzmacht Amerika eher noch steigen. Jedenfalls wird die weltpolitische Bedeutung der Europäischen Union umso deutlicher abnehmen, je länger das gegenwärtige institutionelle Vakuum der EU anhalten sollte. Ebenso ist auf den Gebieten des technologischen und des ökonomischen Fortschritts damit zu rechnen, dass die Erfolge nicht allein der USA, sondern ebenso Chinas, Indiens, Brasiliens und anderer Schwellenländer das globale Gewicht der EU mindern werden.

Zum Schluss

Ausgangspunkt dieses Buches war die Frage nach Vorbildern. Daraus leitete ich für mich die Frage ab, in welcher Situation meines Lebens ich mich durch welches Vorbild habe leiten lassen. An einigen für mich entscheidenden Beispielen habe ich darzustellen versucht, was wir von einem Vorbild erwarten dürfen – und was nicht! Trotz aller Einschränkungen, von denen in diesem Buch auch die Rede ist, bin ich nach wie vor der Überzeugung, dass wir Vorbilder brauchen. Aber erst durch das Beispiel werden Vorbilder glaubwürdig. Deshalb habe ich mich überwunden und auf den Seiten dieses Buches auch manches Private berichtet, etwa aus den Kriegsjahren oder über meine Frau. Ein Buch verrät immer etwas über seinen Autor, und dies gilt erst recht für ein Buch über Vorbilder. Wählen wir uns doch in aller Regel diejenigen zum Vorbild, von denen wir glauben, dass sie gut zu uns passen.

Möglicherweise wird es der eine oder andere Leser bedauern, dass ich auf meine eigene Rolle als vermeintliches öffentliches Vorbild nicht eingegangen bin. Aber das war nicht meine Absicht, darum können sich Psychologen oder Politologen kümmern. Ich selbst habe auf Meinungsumfragen nie viel gegeben und will hier nur sagen: Das Klischee von einem Vorzeigedeutschen behagt mir nicht –wahrscheinlich ist es bloß auf mein hohes Alter und auf meine weißen Haare zurückzuführen.

Vielleicht haben meine Zeitgenossen irgendwann akzeptiert, dass ich eine eigene Meinung habe und diese Meinung mit Nachdruck auch öffentlich vertrete. Ob es um die Einführung des Euro, das Festhalten am Prinzip der Nichteinmischung, die Frage eines EU-Beitritts der Türkei oder die Haltung des Westens gegenüber China ging: Sehr oft entsprach meine Meinung nicht der Meinung der Mehrheit.

Eine eigene Meinung zu haben, heißt freilich nicht, sich zu jedwedem Thema zu äußern. Ein Rezensent schrieb, in den Zigarettengesprächen mit Giovanni di Lorenzo begännen viele Antworten mit «Nein» oder «Nee» oder auch «Weiß ich nicht». Wer einen Sachverhalt nicht wirklich beurteilen kann, sollte dazu schweigen.

Wohl aber habe ich relativ früh einige Grundüberzeugungen gewonnen. So habe ich begriffen, dass Deutschland neun direkte Nachbarn hat, noch mehr indirekte Nachbarn – viel mehr als alle anderen europäischen Völker und Staaten. Und dass wir im Laufe des vergangenen Jahrhunderts fast mit allen diesen Nachbarn Krieg geführt und ihnen im Zweiten Weltkrieg schweres Unrecht und schreckliche Verluste zugefügt haben. Es ist eine Ironie der Geschichte – und

für uns selbst am wenigsten erwartbar gewesen –,
dass Deutschland im Jahre 2015 demographisch und
ökonomisch sich in der europäischen Spitze wieder-
findet.

Am Ende des 18. Jahrhunderts hatten Goethe und
Schiller gesagt: «Zur Nation euch zu bilden, ihr hoffet
es, Deutsche, vergebens.» Damals war Deutschland
kein politischer, sondern ein geographischer Begriff,
der in seiner Ausdehnung etwa dem deutschen Sprach-
raum entsprach. Noch 1866 hat kaum einer von der
deutschen Nation geredet; erst mit der Reichsgrün-
dung 1871 hat sich ein kleindeutsches Nationenbe-
wusstsein entfaltet.

Aber Deutschland liegt immer noch im Zentrum
unseres kleinen Kontinents. Es entspricht dem kardi-
nalen, strategischen Interesse der Deutschen, sich auf
keinen Fall zu isolieren; deshalb gehört die europäische Integration zu den elementaren Voraussetzungen unserer Politik. Ich weiß dies, seit ich begonnen
habe, mich aktiv an der Gestaltung der Politik meines
Landes zu beteiligen – seit mehr als einem halben
Jahrhundert. Und seither weiß ich auch, dass alle unsere Nachbarn, insbesondere unsere polnischen und
tschechischen Nachbarn, aber auch Frankreich und
unsere westlichen Nachbarn, das gleiche Interesse
haben: dass Deutschland sich nicht wieder isoliert.

Am Schluss dieses Buches will ich gern noch einmal
einräumen: Ich bin Eklektiker, ich habe mir Urteile
und Anregungen von überallher geholt: aus der Geschichte, aber ebenso aus der Philosophie, aus den

Religionen, aus der Literatur, der Musik, aus allen Bereichen, die mir zugänglich gewesen sind.

Zwei Maximen hatten mich bei der Lektüre der «Selbstbetrachtungen» des Mark Aurel vor allem angesprochen. Zum einen die stoische Betrachtung des menschlichen Lebens, die in der Aufforderung mündete, das eigene Schicksal in Gelassenheit zu ertragen. Zum anderen die Forderung, seine Pflicht zu erfüllen. Aber bald schon habe ich begriffen, dass Pflichterfüllung zunächst nur ein abstraktes Prinzip ist und dass alles davon abhängt, wie man die Pflicht konkret definiert. Und ebenso habe ich begriffen, dass man sich zwar fest vornehmen kann, in allen Lagen gelassen zu bleiben, dass innere Gelassenheit sich jedoch nicht herbeizwingen lässt.

Vor vielen Jahren bin ich durch Zufall auf das Gelassenheitsgebet des amerikanischen Theologen Reinhold Niebuhr gestoßen:

«Gib mir die Gelassenheit,
    die Dinge zu ertragen, die ich nicht ändern kann;
    gib mir den Mut,
    die Dinge zu ändern, die ich ändern kann;
    gib mir die Weisheit,
    beides voneinander zu unterscheiden.»

Auf mich selbst übertragen, möchte ich dieses Gebet heute ein wenig abwandeln. Die innere Gelassenheit, die ich mir gewünscht habe, seit ich als Fünfzehnjähriger die «Selbstbetrachtungen» des Mark Aurel las,

hat sich mit zunehmendem Alter von selbst eingestellt. Der Mut, eine mir wichtige Sache mit Leidenschaft und Augenmaß durchzusetzen, hat mir im Laufe meines politischen Lebens oft genug Kraft gegeben;
er wird mich hoffentlich auch auf dem letzten Stück
meines Weges nicht verlassen. Die Weisheit sollte darin bestehen, auf diesem letzten Lebensabschnitt
Wichtiges von Unwichtigem zu unterscheiden.

Bildnachweis

Register